地方自治ジャーナルブックレット・NO.52

【増補版】
大阪都構想と橋下政治の検証

―府県集権主義への批判―

高寄 昇三
［甲南大学名誉教授］

公人の友社

はしがき

橋下大阪府知事は、戦後の知事では美濃部東京都知事とともに、マスコミの対象となり、美濃部知事より衝撃的な言動でマスメディアの注目を集め、そのイメージ効果を背景に大阪府政を運営し政治支配を強めつつある。

卑近な事例では、橋下知事は地方制度改革において突如、大阪都構想を発表して大阪市との行政的連携を破棄し敵対関係も辞さずとの強硬姿勢をうちだした。しかもその実現のためローカルパーティー「大阪維新の会」を設立し、大阪府議会・大阪市議会さらには大阪府下の首長の選挙に政治的勢力を扶植しつつある。

橋下知事の行動・戦略は、予想外の展開であり革新自治体の行動より政治色は濃厚でありおなじタレント知事である宮崎県の東国原知事とはまったく異なる政治戦術である。

もともと大阪の土地柄は、タレント政治家をうみやすい土壌があるが、当選後も、マスメディアを活用し、政治的目標を貫徹しようとする政治戦略は、戦後地方政治史にない突然変異ともいうべき現象である。

それだけに政治的ターゲットとされた首長・議員・地方団体は、対抗する有効な策はなく窮地にたたされている。

橋下知事・大阪維新の会の言動は、地方政治・行政において、興味をそそられるが、橋下知事の政治戦略は、市町村自治にとって脅威であり、対抗策を早期にまとめていかなければならない。

本書の主たる論題は、地方制度論として、大阪都構想に対する批判として、都制の問題点を指摘し、あわせて、危機にたたされた指定都市制度の擁護論である。

大阪都構想がなぜ提唱されたのか、東京都制の大阪版であるが、都制の地方制度としてのメリット・デメリット、また都制方式への地方制度調査会の意見・改革案、さらに東京都制と特別区との関係に論及し、大阪都構想がもつ欠点を指摘したい。

すなわち大阪都構想は、市町村自治からみて、地方分権改革に逆行する構想であり、実現のため、大阪府・市は、一〇年戦争を余儀なくされる。かりに大阪都が創設されても、大阪経済は、完全に陥没の憂き目をみる悲劇となる。

ただ大阪都構想について論じるには、その提唱者である橋下知事の政治・財政・行政戦略を抜きにして評価することができない。また推進母体である「大阪維新の会」の綱領・活動にふれずには、構想の真意も把握できない。しかし、あくまで本書の傍論である。

橋下知事の発想・行動は、さらに詳しく研究するに値する課題であるが、ここでは政治・行政・財政分析の糸口を整理するにとどまった。

マスメディアを背景とする橋下知事の対立者への対応は、小泉元首相の劇場型政治の、橋下知事版である。しかし、首相と違い、知事は個別利害にちかすぎ、大統領制であるため、その権力は絶大である。

行政の権力者である知事が、地域政党を結成し、府議会・市議会の多数派工作をし、府下の首長選挙に府幹部を送り込み、政治的に威嚇し包摂する戦法は、行政の中立性を、逸脱する恐れがある。「大阪維新の会」は、地域主権を、大義名分にしているが、橋下知事の権力を背景とした政治活動は、行財政問題の争点であっても、対等な政策論議をゆるさない状況にある。

町村合併でも、決定権者の知事と、当該町村の町村長が、合併反対派の町村会議員を、政治的に威圧しては、適正な町村合併審議はできず、町村合併の是非は政治対立の渦中に引きずりこまれ、政治的決着で処理されてしまう。

橋下知事を、地域主権復活の革命者とみるか、地方自治崩壊の独裁者とみるか、評価は大きくわかれるであろう。

橋下知事の政治スタイルは、マスメディアの宣伝効果をフルにいかし、圧倒的有利な政治情勢を醸成し、対立者を撃破していく、戦法は、大袈裟にいえば、民主主義の危機である。大阪府下の市町村自治の危機である。

大阪都構想にしても、時代錯誤の制度論であるが、二重行政弊害の淘汰、府市一体化の行財政能力アップ、大阪経済圏復興の牽引車といったキャッチフレーズが、冷静な制度・機能論を駆逐し、府民への浸透力を、発揮しているからである。
本書は大阪都構想に関して、政策論をふかめていく素材としてまとめたものであり、論争の参考としていただければ、幸いである。なお出版の配慮をいただいた、公人の友社武内英晴社長に、心から感謝します。

平成二二年七月

高寄　昇三

平成23年11月27日のダブル選挙では「大阪維新の会」が圧勝、大阪府市ともに、「大阪維新の会」が、首長を獲得した。その結果、「大阪都構想」は、現実の制度設計の段階に入ることになった。おかげさまで本書は版を重ねることになったが、選挙後、益々本書を求める声が多くなっているという。そこで、改めて「補論」を加え、増補版として刊行することとした。
「大阪都構想」について、読者の皆さんの冷静な議論に役立つことを心より願うものです。

平成二四年一月

高寄　昇三

【増補版】大阪都構想と橋下政治の検証 ―府県集権主義への批判―

目次

Ⅰ　大阪都構想と市町村支配

1　大阪都構想と市町村自治の危機

地方制度改革は、平成市町村合併が完了し、指定都市・中核市・特例市制度など、段階的事務移譲もひろがり、定着していった。この行政改革の意図は、市町村の行政能力強化であった。

しかし、肝心の市町村財政は、三位一体改革で、貧困市町村ほど、大きな減収に見舞われただけでなく、小規模町村は、交付税の段階補正で打撃をうけた。市町村は合併という、大きな犠牲をはらったが、なんらメリットがなかった。

しかし、市町村合併で、基礎的自治体の規模が、拡大したことはたしかで、当然、事務事業の移管、財源の再配分、府県制度改革、そして、道州制による制度改革の地殻変動が、地域社会の底辺から、胎動しつつある。

地方制度改革の基本的理念は、当然、地方分権であり、具体的方針は、「現地総合性」、「補完の原則」である。すなわち市町村に可能最大限の権限・財源を付与し、総合行政によって行政効率化を図る。それが不可能な場合、補完の原則で、政府・府県が、機能の代行・財源の補填をなすシステムの形成である。

この視点からみて、制度改革のキーポイントは、政府地方出先機関の地方団体への吸収である。道州制による統合か、府県制への移管かは未定であるが、この改革を契機として、特別市制とか府県合併などの制度改革が浮上してくる。

このような全国的な動きのなかで、橋下大阪府知事は突如、大阪都構想を提唱し、平地の波乱をおこした。政府直轄事業の地方団体への負担金請求書を〝ぼったくりバー〟と、酷評した言動からみれば、橋下知事は政府地方出先機関の府県への移管に、当分は情熱を注ぐと期待されたが、突如、行動方針を転換し、大阪都構想をうちだし、大阪市に襲いかかった。

これまで都制は、特別制度として、地方制度改革でも傍流的課題、東京都・特別区の特殊問題とみなされていた。しかし、大阪都構想によって、全国的地方制度改革のテーマとして、浮上しつつあり、道州制とからめて現実的争点となってきた。

橋下知事の大阪都構想は、制度的のみでなく、政治的にも、大きな関心事となった。大阪都実現のため、「大阪維新の会」という地域政党を結成して、みずからの政治信条を貫徹するため、地方首長・議会の攻略を開始したからである。

要するに、従来地方制度改革といえば地方制度調査会・国会が主戦場であったが、地方議会で既成事実をつくりだし、そのうえで法律改正をめざす、工程表を作成している。

すでに指定都市の堺市市長選挙では、府部長を送り込み、市長選に勝利し、その政治勢力の傘下におさめた。これで堺市は、府市対立が起こっても、大阪府に正面切って、反対できない異様な事態になった。

政令指定都市といえども、大阪府に対して抵抗すれば、どんな目にあうか。橋下知事の絶対的権力の威光を、府下市町村に見せしめとして、誇示する絶好の事実を、つくりだすことに成功した。

しかし、地方分権・主権とは、財源・権限・事務の配分比率でなく、政府間関係において、基礎的自治体である市町村が、どれだけ、権利として異議申立を、政府・府県などの上位行政機関にできるかの制度保障が、評価のバロメータである。

橋下知事の府下市町村に対する対応は、知事の方針に反対する、市町村などのもろもろの抵抗勢力には、強大な府知事の権限行使で威嚇し、さらに財源的な削減措置で打撃をくわえると圧迫し、それでも反対する場合は、政治的に抹殺していく戦略である。

このような府・市町村関係は、橋下知事が、府財政再建や学力テスト公開などの問題で、実際に駆使された手法であり、市町村自治の危機といえる。だがマスコミ・地方自治研究者・市町村首長・議員、自治体職員も、傍観的態度を決め込んでいる。

しかし、過去にさかのぼり、また全国的にみても、如何に中央集権的思想をもった、中央官僚出身の府県知事でも、ここまで露骨な市町村統制はみられなかった。またおなじタレント知事である宮崎県の東国原知事にはみられない、橋下知事特有の政治手法であろう。

橋下知事は、大阪都構想に批判的な平松市長に対して、「市長は政治家じゃなくて、行政の長」であり、「行政の長としてはきちんと対応していくが、政治家としては見切りをつけた」と、絶縁状をつきつけた。これで府市協調の経済復興は、数年はできない。

ただ、これまで大都市圏府県知事の深層心理には、この都制構想は、府政の障害を除去し、あわせて大都市の権限・財源・事業を奪う、一石二鳥の妙案として存在していた。前太田府知事も、大阪都構想の信奉者で、大阪府政の閉塞を打開する、人心掌握策として提唱した。いうなれば府の大都市対策の常套手段であり、今日、急に浮上したのではない。

大阪市は、この大阪府の大阪市消滅策という、伝統的体質的な野望に、注意を払うべきであったが、橋下府政発足以来、府市協調・連携などの甘言に幻惑され、大阪府の力をかりて自己の行財政課題の解決を図っていくという、政治要素抜きの純粋の行財政ベースで、対応してきた。

橋下知事がいうように、たしかに平松市長は、行政ベースで課題の解決に、努力してきたが、政治的に橋下知事の、支配欲に警戒を、怠った憾みがある。

これまで府県・指定都市は、町村合併・財源配分で、歴史的にはしばしば対立したが、事務ベースが、マスコミをつうじて論争する程度であった。知事が直接市長を名指して挑発し、暴言を吐き、人格を貶める言動は自制してきた。

制度改革からみても、非常事態であり、橋下知事構想に、賛否両論があるにしても、大阪市は論争を挑み、問題点を明確にし、大阪都構想を粉砕して、自己防衛策を構築していかなければならない。

橋下知事は、大阪市との友好関係を廃棄し、大阪市を眼下の敵として、大阪都構想で攻勢をかけている。「大阪維新の会」が、政治勢力をひろげるにつれて、大阪府・市の関係は、緊迫感を増幅させている。

この状況を、二重行政とか事務事業配分といった、行政レベルの問題と、過少評価せず、またいつもの大阪府・市の私闘に矮小化してはならない。大阪府民は、市町村自治の危機として、真の地方分権をめざす〝権利のための闘争〟（イエーリング）として、抵抗運動を、展開しなければならない。

大阪都実現には、国の特別法の制定、関係自治体の住民投票など、複雑な手続き、国会審議といった、いくつものハードルをこえなければならない。すくなくとも5年、ながくなれば10年はかかり、道州制がからめば、20～30年は、かかるかもしれない。しかし、いまや制度の是非でなく、市町村自治の危機とみなすべきである。

2　「大阪維新の会」と大阪府集権主義

大阪府下の政治情勢は、着々と橋下知事の支配体制が、強化されつつある。その推進母体が、地域政党「大阪維新の会」で、平成22年4月19日、結成された。
その「成立の趣旨」は、「大阪から地域主権を実現するため」として、「福祉、医療、安心・安全等に係る住民サービスの向上こそが地方政府の存在理由であるが、その原資を拡大するには圏域の競争力の強化と成長が、不可欠である。しかし、現行の大都市自治制度は大都市圏域が持つ潜在可能性を十全に発現させせないような仕組みになっている」と、批判している。

しかし、制度論でみれば、大都市圏がもつ潜在的可能を閉塞させているのは、府県への権限・財源の集中である。その原因を、政令指定都市制度にすりかえ、都制によってさらなる府県集権主義を、強化しようとするのは、策謀にもひとしい行為である。全国視野からみても、地域主権に逆行する改革構想といえる。

一般的全国的な評価は、「政党や中央官庁幹部らの大阪都構想への反応はおおむね冷ややかだ。政治運動と構想が一体化していることへの懸念や、地方制度の全体像とセットで論じないと意味がないという発想からだろう」(毎日・5・30、年表示ないのはすべて2010年)と、大阪という地域の内紛とみなされている。

しかし、大阪都構想が、展開しつつある政治的行動は、地方自治の根幹に関する課題をはらんでいる。府県知事という権力者と地方政治のあり方で、戦前、政友会系府県知事による利権誘導型地方行政のひろがりと同じで、地方行政に大きな禍根をのこし、政党政治凋落の原因ともなった。

橋下知事は、利権誘導型ではなく、直接的な権限操作型の地方政治スタイルを形成しつつある。

「大阪維新の会」は、「当面の目標は下記の項目である」として、「1 広域自治体と基礎自治体の役割分担と責任の明確化。2 大阪府域の再編。3 新たな統治機構（大阪府とグレータ大阪（大阪市と隣接周辺市）の一体化が中心）の構成。4 都区制を超える大都市制度の実現。5 成長戦略の策定。6 議会の権能強化による決定と執行の分離」をあげている。

この趣旨だけからも多くの疑問が感じられる。

第一に、地域主権を実現するため、どうして大阪都市圏の経済力強化が、必要なのかである。財源がなければ、地方主権が達成されないとすると、過疎地の町村は、はじめから地方主権が絶望となる。

財源の問題でなく、地方制度の精神・運用の問題であり、「町村自治を支える精神」「地域社会をまもるシステム」が、保障されているかどうかである。地域主権は、なによりも市町村自治の拡充であり、政府・都・府県といった上位行政機関に、権限・財源・事業を吸い上げることではない。

第二に、現行の大都市自治制が、大都市圏がもつ潜在可能性を発揮できない制度になっていると批判しているが、制度的には大都市圏の府県が、大都市が本来有するべき権限・財源・事業の多くを、制度上保持して離さないからである。

大都市を分割し、府県を都にして、そこに権限・財源を集約させることが、どうして大都市再生とか、地域経済圏の活性化につながるのか、杜撰な論理である。長期にわたる大阪府の無気力・施策の失敗で、大阪経済が低迷しているのに、都制という組織変更だけをしても、失敗の拡大再生産をみるだけである。

第三に、大阪府を広域自治体と位置づけ、大阪都を創設し、そこにすべての権限・財源を集中させ、大阪府市町村への大阪府官治統制を、目論むプログラムである。

また、集中された権限・財源を経済開発に傾斜投入するため、生活行政は基礎的自治体、産業行政は広域自治体と、事務事業の配分を策定しているが、あきらかに経済開発優先主義である。

「大阪維新の会」の設立趣旨からは、それぞれの自治体が地方主権を保障され、政策を競うという状況はとても期待できない。地方で行政と政治が、あまり接近するなといわれるのは、政党化がすすむと政治化の弊害がみられるからである。

補助金・許認可などで、A市・B市が申請して、府知事の与党であるA市が、認証されたとすると、必ずB市は政治的決着として、不満を抱くことになる。

このようなトラブルを避けるには、補助基準を事前に示し、決定プロセスも公開することで、ある程度は鎮静化できる。しかし、それでも疑惑の念は、完全に払拭できない。そのため与党化がますます進むと、府県知事崇拝・府県方針追随という症候群が、市町村に蔓延していき、地域行政の堕落・低迷がひろがる。

また「設立趣旨」の補足説明として、「行政であれ政党であれ、中央集権体制とそれに唯々諾々と従わざるをえない地方という図式に何の変化もないのは、最早、それらが思考停止状態に陥っている証拠である。唯一最善の方法というものはないが、地域を発展させ、組織を再生させるために、私たちは時により跳ばなければならない」としている。

しかし、現在の地方制度が中央集権体制であり、改革すべき課題であることは、周知の事実であり、中央政府も改革に取り組んでいる。地方制度改革で見落されているのは、府県が政府の地方支配の橋頭堡として、市町村を支配している府県集権的構造である。

ことわっておくが、府県が悪意をもって市町村を圧迫しているのではなく、制度的に許認可権をつうじて、阻害要素となっているのである。

現在の大阪府の政治情勢からみれば、大阪府がこれ以上強大になれば、大阪府下の市町村は〝唯々諾々〟として橋下知事に従わざるをえない雰囲気が、市町村を覆うことになる。

「大阪維新の会」の地方自治に対する認識は、まさに〝思考停止状態〟にあり、府県集権体制という現在の地方制度のかくされた欠陥を、さらに増殖させる恐れがある。

「唯一最善の方法」は、地域発展・組織再生でなく、「市町村自治の尊重」という、思想の再生であり、そのための地方行財政運営の民主化であり、科学化である。地域行政を担う、市町村自治の拡充である。

橋下知事も大阪府政も、戦後、大型開発プロジェクト失敗の反省という、地域経営の総括をなしていない。その総決算から地域経済再生への知恵も、エネルギーも湧いてくるのである。

地域発展のため、地方団体は、勇気をもって〝跳ばなければならない〟が、それが市町村自治死滅への、跳躍になりかねない。そして市町村が、活力を失えば、それは府県の衰退へとつながり、中央集権への再構築と、なりかねない。

「大阪維新の会」が、各地方団体の議会で、多数派を形成するため、政治活動を、展開するのは、政治活動として自由である。しかし、そのめざす政治体制は、橋下知事を党首とする〝上意下達機関〟の形成となりかねない。

問題の解決において、橋下知事の独善的対応からみて、民意をくみあげ、課題を公平に分析し科学的に評価していくことは、あまり期待できない。橋下知事の政治戦法は、戦前の翼賛体制の政治手法と酷似しているが、現在、この戦法は、成功裡にすすんでいる。

「大阪維新の会」は、着々と政治勢力を拡大し、侮りがたい政治基盤を構築しつつある。平成22年5月の大阪市福島区における、市議補選で「大阪維新の会」の広田和美が、八四九一票、共産四八七一票、自民四二九六票、民主三三二五票、諸新一五四票という、内訳である。既成政党が、全力をあげて戦ったが惨敗である。府下の政治の流れの潮目は、橋下政党へと完全にかわった。

7月11日の大阪市議補選（生野区）でも、維新の会の角谷庄一が、二万四四九〇票で、民主の武直樹一万三一六八票に、圧勝した。来春の統一地方選で、大阪府・大阪・堺市議会での過半数獲得を目指す活動に弾みがついた。

この政治変動の余波は、たちまち「大阪維新の会」への地方議会議員の合流という形になって、勢力がふくれつつある。大阪市議会では、最大会派の自民党から脱退する議員があいつぎ、現在7人にふくれている。

このような激増をきたしたのは、橋下知事が期限を限って「忠誠審査」のふるいにかけ、入党を迫ったからである。大阪市での議員定数69人からみれば、過半数にはほど遠いが、次回の統一選挙では大量の当選者が予測される。

市会議員としては、タレント候補を、対抗馬にぶつけられるおそれがあり、大阪都構想に反対であっても、「大阪維新の会」に、政治的打算からは、同調していかざるをえない。府議会では、6月現在で、知事派は27人と最大会派となっており、堺市では6人と、政治的雪崩現象がおきている。「大阪維新の会」は、「市議会の定数半減」「議員報酬三割減」をかかげて、大阪市民の共感を呼んで、補欠選挙で圧勝し、やがて過半数を獲得した段階で、大阪都構想の実施の実力行使にでくるであろう。

それにしても、理解に苦しむのは河村名古屋市長の行動である。「大阪維新の会」の候補者を応援するため、わざわざ大阪市まで足を運び気勢をあげている。橋下知事と同様に、議会改革という共通の政治目標があるからであろうが、指定都市抹殺という、より大きな目標を忘れているのではないか。

指定都市は、大阪市の危機的状況を共有して、同一歩調で対応しなければ、昭和31年の二の舞ではすまない。大阪都のつぎは、愛知都・神奈川都と、朝に一城、夕に一城と、個別撃破されていくであろう。指定都市の消滅でなく、地方自治の退潮である。

橋下知事の政治手法は、大阪府下市町村の一部は、すでに大阪府庁ＯＢが、首長の座を占めているが、拡大適用していけば、全市町村に波及していくだろう。

近畿圏の府県知事は、橋下知事は、必ずしも、近畿の代表でないとうそぶいているが、府県知事選挙に、「大阪維新の会」の息のかかったタレント候補をぶっつけられれば、必ずしも安閑としていられない。

関西州の首長をめざす橋下知事は、その遠大な野望の実現には、近畿の府県知事にあっても、すくなくとも親橋下派知事を擁立しておきたいであろう。道州制という改革のうねりを背景に、橋下知事の政治的野望は際限なくひろがっている。

3　大阪都構想への自治体の反応

平成22年6月現在では、地域政党「大阪維新の会」は、府と大阪市・堺市を、再編成してつくる「大阪都」と特別区の役割を決める「府市協議会」を設置し、政府にも都制制度導入の法整備を、求める「都政への工程表」を示していく予定である。

「都制と大都市」という問題は、東京都誕生という歴史的事件として研究され、また制度的な利点・欠点は論究されてきたが、現実味をもった地方制度の課題として論議されてこなかった。

もっとも大阪都構想の実現は、政治的制度的にさまざまの高いハードルがあるが、道州制とからめて、実現される可能性はないとはいえない。また「大阪維新の会」の政治勢力が強大になれば、民意の総意として、政府も無視できない制度変革の牽引車となる。

かりに制度的実現は困難であり、長期になるとしても、橋下知事にとって、大阪都構想は大阪市を、政治的に支配するための方便とみなせば、十分に政治効果がある。しかも大阪府・大阪市議会を、「大阪維新の会」で過半数を握れば、実質的には大阪都構想が実現したのと、同じ効用を発揮する。

ただ橋下知事の政治的戦略がすぐれていると、感心している場合ではない。劇場型政治手法は、政策の是非を十分に議論することをさけて、自己に都合のよい考え・データで、マスコミを通じて民衆を、誘導する戦略であり、危険な方式である。

橋下知事は、「これからは政権与党をはじめ既存政党と大戦争になるが、それを避けては大阪はよみがえらない」（日経・4・20）と、既存政党への宣戦布告をだしている。

さらに「大阪丸という船が悪いと前に進まない。もう一度大阪丸を造り直し、東京都とともに日本を引っ張る。大阪維新をなし遂げたい」（日経・4・20）と、大阪経済復興の持論を強調している。誇大妄想ではないか。東京・大阪の経済力格差は、金融機関の本社をみても10倍以上の格差がある。市民は、背伸びした経済開発政策の失敗を、戦後、いやというほどみてきた。京都を見習って独自の産業振興に専念すべきであろう。

橋下知事としては、大阪府市を合体させ、大阪都を創設し、面倒くさい生活行政は、特別区に転嫁して、大阪都は経済開発に専念する。二重行政が解消され、巨額の財源を地域振興に、適用できるという図式を、描いていると推測できる。

しかし、あとでみるように、二重行政などはない、虚構の産物であり、財政危機にある大阪府・市が、統合しても財源的メリットはほとんどない。政治家・官僚は、組織をいじくるのが好きであるが、多くの場合デメリットしかない。

大阪都構想について、平松邦夫大阪市長は、「既に成熟している地域共同体の分割を伴う都制の導入という道に労力をかけるのではなく、関西州実現に一直線に進むべきだ」（同前日経）と、むしろ道州制をめざすべきとしているが、『大阪都』自体が時代錯誤」と、痛烈に批判している。

平松市長は、昨今の政治風潮について、「中央政界に停滞感が広がる中、ムードや勢いで（有権者が）誤った選択をする恐れが十分ある。権力さえ取れば何もかも解決するというのに乗ってしまっていいのか」（神戸・4・19）と、橋下知事の政治手法への、不快感を示している。

平松市長の「大阪維新の会」への嫌悪感に対して、橋下知事は、「徹底して攻撃する。（自分と同じ考えでなければ（大阪市長）選挙で同じ考えの人を（大阪維新の会で）取りに行く」（同前神戸）とまで、断言している。

また堺市竹山修身市長は、政策について「共感できる」と賛同し、ただ堺市を三分割する大阪都構想について、「特別区の区割りも含めて、今後さらに具体的かつ詳細な制度設計が求められており、府民や市民の広範な論議が必要だ」（日経・4・20）と、行政的課題という問題点に留めており、反対する意向は、コメントからはうかがえない。

大阪府・市議会の対応は、まちまちであるが、府会議員は「知事と同じ政策を掲げる会派が多数を占めると、独裁政治になりかねない。議会のチェック機能を失わないよう対応しなければならない」（同前日経）と、議会機能の形骸化を憂慮している。

また大阪市自民党市議団は、「『大阪都』構想は古くて新しい課題。我々も対案をまとめなければ」（同前日経）と、悠長なコメントをしている。

また大阪都構想について、マスコミは、「そもそもこれ（大阪都）が地方分権、地域主権を進めるために欠かせない『かたち』なのだろうか」「東京都のような制度では、府以上に権限や財源が都に集まる。住民に近い存在である市や町に権限や財源を移そうとする分権改革の流れに、むしろ逆行しないか。市から特別区への移行で自主財源が減ってしまうと、きめ細かな住民サービスが提供しにくくなると危惧する声もある」（神戸・4・19）と、論評しているが、大阪都構想のアキレス腱を、突く指摘である。

大阪都構想では、「特別区の権限を強めたい意向のようだが、そうであれば都制度への移行がなぜ必要なのかという疑問がのこる」（同前神戸）と、構想のひとりよがりな、論理展開の矛盾が、指摘されている。

この大阪都構想に対する、府下11市長のアンケート調査（産経新聞・4月中旬）では、賛成は東大阪市長一人で、「東京に対峙する大阪を創ることが日本の繁栄につながり、地元の経済力も向上する」（産経・5・25）との理由である。

反対は大阪・吹田・豊中市三市長で、24区を8区に再編成される、大阪市長は「安易な分割は、まちの歴史的な発展やコミュニティを無視した乱暴な議論だ」(同前産経)、豊中市長は「住民の意見を抜きにした地域主権は成り立たない」(同前産経)、吹田市長は、「市の自主自律への進路を阻害するものになりかねない」(同前産経) などいずれも、懸念を表明している。

残り7市長は、「大阪都構想の具体像がわからない」として、態度を保留しているが、摂津市長は、「二重行政解消で府と大阪市を都に再編成する点は評価できるが、周辺10市を巻き込む点は評価できない」(同前産経) と、飛び火を、迷惑視している。

しかし、大阪都構想が、府知事・府県の強化となり、ひいては市町村自治の圧迫要素となる、共通の認識にはなっていない。個別市町村の利害は重要であるが、制度問題は基本的には市町村自治に、全体としてどれだけ貢献するかを、ベースに判断すべきである。

そうでなければ、府県・市町村という政府間関係で、府県に個別撃破されるだけである。府県は市町村を分割して、統治する伝統的処方を活用し、自己の市町村への支配を、安泰なものにすることができる妙味が発揮できる。

歴史的事実として、府県と大都市は、市町村合併などで対立してきたが、中央政府の合併促進方針があり、両市町村議会が合併議決をし合併調印をしても、府県知事の反対意向をうけて、府県議会で合併は否決されている。

その議決の鍵を握るのは、大阪府のケースでは大阪市周辺市である。したがって大阪市がいくら反対しても、府会議員数からみれば、周辺市が府知事に同調すれば、大阪市の抵抗は、むなしい少数派のたわごとに過ぎなくなる。「分割支配」という統治の妙策は、いつの時代でも、どのような場合でも、効用がある万能薬なのである。

「大阪維新の会」の理念・綱領・設立趣旨から、かいまみえることは、橋下知事が、大阪府庁の大阪南港移転をめぐって、議会の激しい抵抗に直面した。この政治の壁をこえるには、府議会における多数を、自己の政治グループで、占めなければならないと、痛感したためである。

あと一つは、大阪市という抵抗勢力である。当初、大阪府・市は、府庁の南港移転問題もあり、協調関係にあったが、実際、橋下知事が、自己目的を実現していくには、どうしても大阪市を支配しなければならないという認識を、深めっていったのではないか。府市水道事業の共同経営でも、大阪市との調整が、上手にいかず不調におわっている。

この挫折をふまえた、大阪市対策が、大阪都構想という、複雑で紛らわしいが、一般府民には、二重行政廃止という、キャッチフレーズで、有利に推進できる、絶好のテーマであるとして、選択したのではないか。

穿った見方をすれば、大阪都によって、大阪空港を、はじめとする、マイナスの財政遺産の解消を、目論む秘策かもしれない。

この課題の特徴をいかして、大阪市に攻勢を強めていった。これによって誘発される、政治的行政的紛糾に便乗して「大阪維新の会」の政治的勝利を、不動のものとして、大阪市包囲網を、完成させる戦法である。

過日の福島区大阪市議の補欠選挙でも、「大阪維新の会」は、圧倒的勝利をおさめ、まさに大阪府が、大阪市をのみこむ勢いである。

大阪都構想についていうならば、地方制度としての功罪を、十分に検討して公開しなければならない。二重行政の無駄は、数億程度はあるかも知れないが、公共デベロッパーの失敗による損失額は数千億円をこえる。このような行政実態を理解していない、橋下知事は「裸の王様」に等しいのではないか。

高度成長期以来の大阪府・大阪経済界の言動をたどると、近畿圏・関西地域・京阪神の経済社会発展を、スローガンにしているが、真の狙いは、大阪地域の経済発展であった。

大阪府にとって、市町村支配の抵抗勢力は、制度的には政令指定都市の大阪市しかない。橋下知事の意図を、単純に憶測すれば、大阪市を、政治的に屈服させ、実質的に大阪府の傘下におさめ、大阪市が擁する、財源・権限・事業を、経済戦略に、転用することが、究極の選択肢として、大阪都構想といえる。

しかし、この突然の政治的紛糾で、大阪府の再生は、数年は凍結状況になり、かりに大阪都構想が実現しても、数年は行政的紛糾に見舞われ、失われた10年を、覚悟しなければならない。

政治・行政的な無益な対立が、10年後鎮静化したとき、大阪府は、経済では完全に一周おくれのランナーとなり、落伍者の悲哀を味わうことは確実であろう。

Ⅱ　大阪都構想と地方制度改革

1　道州制ビジョンの虚構

大阪都構想は、地方制度改革である以上、全体としての制度改革ビジョンのなかで、その構想がはたして適切な改革であるか検証されなければならない。

まず道州制との関連である。大阪都が単独の制度改革として成立する可能性は低いが、道州制とからめて実現することは十分に想定される。

しかし、道州制が、いわれるほど適切でのぞましい制度改革であるか、疑問である。道州制については、これまで多くの研究があり、報告書もあるが、ここでは江口克彦『地域主権型道州制』（2007・11・PHP出版）の、道州制賛成論を批判することで、道州制の問題点を指摘してみる。

第一に、「地域主権型道州制」は、日本地方制度の状況からみて成立しがたい制度である。日本の政治行政風土からみて、道州制は、中央集権的道州制となる可能性がきわめて高い。

日本の中央集権体制はきわめて強固であり、容易に崩壊しない。中央官僚だけでなく国会議員も、地域主権的道州制に、多くは反対するであろう。

もし地域主権型道州制が成立するならば、現行の府県制でもかなりの政府の権限・財源・事務の移譲は実現でき、政府出先機関の府県への移管も可能であり、広域行政も処理できる。したがって道州制をつくる必要もない。

しかもこの中央集権的構造は、地域経済が不均衡発展する以上、打破は不可能である。道州制にしたから、中央集権的国家構造・支配メカニズムがかわると、期待するのは楽観的である。現在の地方制度のもとで、地方分権の実践をつうじて、地方分権・地域主権の実績を築きあげることが、先決課題である。

第二に、中央集権的国家構造が、東京一極集中構造の原因とされているが、東京一極集中は、経済の第三次産業化で、金融・情報・教育などの、一極集中であり、道州制でも、この経済構造の変革は、鎖国するか各道州制が独立国家とならない限り、食い止めることは不可能である。あとは政府政策としての第二次産業の地方分散、地域経済資源の開発であるが、道州制になったから、これら施策の展開が容易になることはなく、府県制のもとでも十分に展開できる。むしろ道州制は、広域圏での中心地域へのミニ一極集中がおこり、地方の疲弊に、拍車がかかる。市町村合併でも、この現象は、必然的に発生しており、阻止できない。

おなじように府県合併は、たしかに行財政効率からいえば、メリットがあるが、被合併府県の経済社会的衰退という、犠牲をはらってまでおしすすめる改革ではない。

第三に、道州制は府県統合であるが、市町村合併とおなじでない。市町村合併は、水平的統合であるが、道州制は垂直的統合であり、権限・財源が、住民からより遠い機関への移管である。極論すれば、地方制度としては、政府と三〇〇程度の市で十分であり、中間機関はできるだけ、簡素で小さいのが理想である。

府県合併・道州制は、住民自治からみて、問題解決の場がより遠方にいくことであり、地域民主主義からみれば集権的改革となる。大阪都構想も、おなじ改革である。要するに多くの犠牲をはらって、実施するだけのメリットがあるのかを、分析・検証しなければならない。

第四に、道州制のアキレス腱は、地域の財政力格差である。北海道・四国・九州などは、おなじ道州税制では、中央政府から財源付与を受けなければ、財政運営はできない。しかし、財政支援をうければ、地域主権は展開できない。

ＪＲの分割をみればわかるように、経済的には全国プール方式で、保護されていた地域は、大きな痛手をうけることは、歴然としている。

さきの『地域主権型道州制』では、四国が大幅減税で、企業集積・高所得者層が集中し、減税以上の効果があがると指摘している。しかし、この減税戦略は四国が独立国家でなければならない。

近年の自治体の企業誘致奨励金方式をみれば、わかるように、すべての地域・自治体が、一斉に導入するので、もっとも経済力のある東京に、ますます集中する。要するに四国は、壊滅的打撃をうけるだけである。

第五に、道州制は、中核となる行政事務は、ないのではないか。広域行政は、府県の共同処理でやればすむし、高度成長期とことなり、地域開発行政は主流となりえない。現実的に地域ニーズのないのに、制度的に地方団体を、創設しても無駄の制度化である。

『地域主権型道州制』では、北海道の成功例が紹介され、各道州制が特色をだせば、地域活性化ができると夢を描いているが、それは府県制でも可能である。要するに中央集権構造の打破は、道州制でなければ、できないというのは、論理の飛躍である。

現在の府県は地域が狭すぎるといわれているが、地域をひろげてなにをするのかである。いまさら田中角栄の『日本列島改造論』でもあるまい。産業廃棄物処理・救急病院問題が、あげられているが、地域を広げたから解決できる問題ではない。システム・技術開発の問題であり、医療行政の問題である。

平成市町村合併が断行されたが、市町村をとりまく問題はなんら解決していない。それは行財政改革によって市町村主権があいかわらず尊重されず、地域主権は、府県主権であるからである。

地方行政は、地域開発だけでなく、生活行政がより大事であり、むしろ政府が、国家的プロジェクトで、海外に日本企業の技術力を輸出する時代である。道州制は、なんら解決できない時代錯誤的制度である。

広域的政策課題は、道州制という、ワンセット主義の巨大団体を創出するのでなく、府県連合・

連携というネットワークシステムで対応するのがベストの選択である。大阪府・市の行政課題も、都制とか特別制といった制度創設でなく、府市連携方式が、はるかに効果的で実効性のある解決策である。

2　府県再生の処方箋

道州制反対としても、府県制度がこのままでよいはずがない。市町村は、市町村合併という大きな犠牲をはらって、地方制度の効率化に貢献してきた。せめて府県は府県合併ぐらいはなすべきとの不満は、市町村サイドにはある。

地方制度として、府県制をみると、多くの欠点・限界がみられる。大正期の郡制廃止と同様に、中間行政機構が、淘汰される運命が、避けられないかも知れない。このような悲運を、回避するには、府県制の改革しかない。

第一に、府県は明治以来、独自の機能より中間機関として、市町村監督・政府代行・費用負担機能などが、府県行政のなかで大きな比重をしめてきた。政府は、府県のこのような機能を重視し、行財政面で優遇してきた。

要するに府県は、府県経由行政方式によって、人為的制度的につくられた団体である。市町村の補助金・地方債・交付税などの実質的許認可は、今日でも府県にあり、市町村支配の重要な要素になっている。

府県経由方式は無駄の制度化であっても、政府が府県による地方統治方式を重宝しており、実際、府県の補完・調整機能がある程度の効果を発揮している以上、存続しつづけるであろう。

しかし、強大な権限、巨額の財源にもかかわらず、独自の府県機能は、次第に低下しつつある。市町村合併によって、府県の市町村への調整・広域・専門・監督機能の必要性は、確実に減少していった。

たとえば保健行政をみても、府県の保健所が、政令指定都市・中核市などに移管されてきたが、府県の広域・専門・補完機能は、地域的に空洞化しつつある。

戦後、地方行政における段階的事務移譲が、営々とすすめられてきたが、一方、府県自身は、道路・河川などの建設管理機能の政府への移管をおしすすめ、今日の政府地方出先機関の肥大化を手助けしてきた。

第二に、これ以上の府県事務の市町村化・政府移管化は、府県の存亡にかかわる。府県は、政府出先機関の事務事業を府県化することで、活路をみいだすべきである。今や段階的事務移譲は、第二段階に入った。政府は、府県・市町村・住民への事務移譲を積極的に実施すべきである。

政令指定都市の要望は、その意味では視野狭窄症にかかっており、地方行財政全体としての展望に欠けている。府県制を追い詰めのでなく、本来、あるべき自治体としての府県制をえがき、そのうえで指定都市の確立・拡充をめざすべきである。すなわち政府機関もふくめた段階的事務移譲を、指定都市は、その他市町村と共同歩調で、推進する転機にある。

府県の将来は、政府地方機関の事務事業を吸収し、府県行政のレベルアップを図っていくしかない。平成20年で、定員九・五万人、予算一一兆六八八五億円である。移譲にともなう財源・人事などのさまざまの問題があるが、一時的問題である。

戦前、府県は内務省の出先機関として、よきにつけあしきにつけ、総合的地方行政機関であった。戦後、内務省が解体され、中央省庁が分裂すると、各省庁は、競って地方出先機関を乱立させていき、今日のような脈絡のない状況を創出してしまった。

府県制度の将来像は、これら政府出先機関の機能を吸収し、実質的な地方総合官庁への変身しかない。地方整備局、地方運輸局、都道府県労働局、地方農政局などの事務事業は、府県が処理できる事務事業がほとんどある。職業紹介事業などは、戦前は都市行政として、都市自治体が機関委譲で処理してきた行政である。

地方出先機関と政府外郭団体とをふくめれば、府県行財政の3分の1程度はあるであろう。府県は、許認可行政の多くを市町村に移譲し、身軽になって広域・専門・補完行政に特化すべきである。

この膨大な事務事業・予算・人員を、府県に移管させれば、政府も政策官庁として、機能純化・高度化が図られて、本来の機能・役割をはたすことができる。

府県制改革のあと一つの課題は、府県制運営の改善である。すなわち府県・市町村の政府間関係である。政府・地方団体という政府間関係の陰になって、これまで改革の争点にはなってこなかったが、さきの府県経由方式の弊害である。

府県制のもとで政令指定都市がなぜ重要なのかは、行財政システムからみて、指定都市は、補助金・地方債・交付税などは政府の直轄統制のもとにある。しかし、その他市町村は、補助金・地方債・交付税の府県経由方式によって、一般市町村は府県に首根っこを、抑えられているからである。

しかし、昨今の状況は、指定都市も財政的疲弊がすすみ、さらに阪神大震災にみられるように、災害復旧事業などでは、府県の優位は歴然たるものであり、指定都市の制度的欠陥が目立ち、戦後改革は、未完成であることが立証された。

中央政府の地方支配・行財政効率化のため、この悪しき府県経由方式が、戦後も温存され、地方政治・行政を閉塞させてきた。政府間関係においては、機関委任事務方式の弊害だけに関心があつまっていたが、これ以上、府県の市町村への支配が強化されれば、市町村自治は壊滅してしまう。

ある意味においては、中央政府の中央集権的支配よりも、市町村自治を蝕んでいるのは、府県の官治的集権的支配である。府県知事として、美濃部東京都知事などは、個人的資質から中央政府に、反旗をひるがえし、抵抗的地方分権の実践でもって、市町村自治へも大きな影響をもたらした。

しかし、革新自治体でも、府県経由方式は、なんら関心をよぶことなく、制度的には温存され、網羅的許認可権は、市町村自治への手枷・足枷となっている。

府県は、ミニ霞ヶ関と揶揄されている。膨大な許認可権と巨額の市町村への財政支援を背景にして、府県職員を市町村に送り込み、やがて選挙で首長の座を射止め、府県の市町村統治の土壌を培養してきた。

橋下知事の対市町村の対応は、官僚知事などが巧妙に隠蔽してきた、市町村支配システムを露骨に駆使し、府県支配力の大きさ、支配システムの実態を、白日のもとに晒した。一般府県にとっては、迷惑千万な軽率な行為と映ったであろう。

しかし、橋下知事の論法では、いずれの知事・府県でもやってきた、市町村統制方式をローカルパーティーを立ち上げ、地方議会を牛耳る政党活動として行うだけで、合法的活動であり、なんら批判されるべきでない。

府県の市町村支配、上位機関としての優越性は、市町村合併・段階的事務移譲では衰退しない。むしろ段階的事務移譲は府県にとって財源的に有利である。指定都市の事務移譲収支でも、補助金・交付税補填が、赤字であることから、府県財政の歩留まりが、かなりあると推測できる。府県はますます、権限・許認可官庁として特化されていき、独自行政への展開財源も捻出できるであろう。

市町村サイドとしては、府県の自己改革をまつのでなく、市町村自治の拡充という視点から、市町村が共同歩調で、府県制度改革を求めていかざるをえないであろう。

3　指定都市拡充の方策

政令指定都市は、何をめざすべきか。理想は特別市制であるが、大都市のエゴとして、非難を浴び、挫折は必至である。特別市制をはなれ、地方分権的行財政改革のビジョンをもって、その流れの一環として、大都市制度の充実であり、結果としての特別市制でなければ、府県だけでなく、その他市町村の反対で挫折するであろう。

もともと指定都市は、プライドのみが高く政治性に欠けている。しかも結束力に乏しい、ことに盟主・東京市が、東京都誕生で消滅したのが大きな痛手である。そして府県との権限・財源争いとなると、この欠点は致命的となる。

天下り官僚を、大量に受け入れている府県と、必ずしも天下り官僚を歓迎しない指定都市では、中央省庁の心象は格段の差がある。しかも全国知事会のような強力な母体も有していない。

指定都市市長会は、いわゆる地方六団体には、認知されていない。戦後、全国市長会会長は、大都市の市長が歴任していたが、今日では、このような慣習はすたれて久しい。

残るは理論武装とマスコミ対策であるが、それすらも乏しい。しかし、指定都市は、かつての五大都市から数倍にふえている。乏しい政治力も、幾分かは補填できた。また従来の大都市モンロー主義から脱皮して、市町村全体が共感できる、市町村自治に立脚した、大都市自治を形成する方向に、転換する機会でもある。

第一に、段階的事務移譲をベースにして地方制度改革をめざすべきである。今日の地方制度改革は、そのながれに沿って展開されている。

ただ、道州制が実現されれば事態はかわってくる。特別市制の難問であった、残存地域を考慮する必要がなく、段階的事務移譲の対象事務も、その天井は高くなる。

しかし、横浜・名古屋・大阪市が、道州制を見越して、大都市制度構想研究会『日本を牽引する大都市』（２００９年2月）は、道州と同格の「都市州」の創設を提言している。

これでは府県制のもとでの、特別市制と同様で、創設された道州は、残存区域の行政にかなり不都合が発生する。このような大きな難点をかかえて、道州制を実施すれば、「都市州」より「都制」への換骨奪胎的変更によって、大都市は、東京市とおなじ悲劇に、泣かされることになりかねない。

さもなければ、昭和31年の政令指定都市のように、申し訳程度の事務移譲で済まされる、政府・府県サイドの、政治力・行政力に押しつぶされるであろう。三大都市が「スーパー大都市」構想で浮かれている間に、都制構想で足元をすくわれかねない。

制度改革には必ず反対勢力があり、大都市がもつ行財政の魅力は垂涎の的である。昭和31年の指定都市は、まさにドーバーの悲劇であったが、その屈辱を味わった関係者の多くは、大都市の現役を退いている。

大都市は、机上の大都市制度ではなく、政治力を培養しながら、実現可能な大都市制度を模索するという冷徹な制度構想がのぞまれる。未来を夢みるのも、精神衛生上は悪くないが、歴史に学ばなければ、実効性のある市町村全体が、共感するような大都市制度構想は、提唱すらできないのではないか。

市民生活優先の行財政を、確保すればよいのである。現地総合性・補完原則に沿った事務事業の移管・行政権限・財源確保ができれば、かなりの都市行政の拡充もできるはずである。

第二に、現行地方制度の不合理性を追求することである。権限・事務・財源の三点セットによる地方分権化をめざすべきである。

戦前・戦後の特別市制も、つきつめて考えれば、権限・財源の問題であった。戦前、六大都市は、運動のすえ、市内の国道管理権を府県方式から六大都市への移管をうけた。しかし、財源委譲はまったくなかった。

また地方債を発行するにも、いちいち府県の認可をえて、さらに内務省の認可をえなければならなかった。二重行政の典型的事例であったが、大都市特例で廃止にこぎつけている。

戦前、六大都市は、権限・財源・事業における、きわめて不合理な状況に耐え切れず、特別市制という過激な都市制度へと走らざるをえなかった。もし市民生活・都市環境を、維持できるだけの財源・権限・事業が付与されれば、特別市制といった火中の栗を、あえて拾う冒険をおかすことはなかったであろう。

しかし、政令指定都市は、段階的事務事業委譲方式では、財源・権限が不十分であるから、大都市制度の特例を要求している。大都市は、多くの事務事業をかかえて悪戦苦闘している。生活保護をみれば、豊富と貧困が同居している。

高度成長期、地価高騰・人口急増に、都市はなやまされてきたが、超過課税・宅地開発指導要綱・超過負担訴訟などによって窮地を脱した。今日、格差社会の財政需要として、貧困救済・セフティーネット行政に直面している。

交付税・補助金をみても、生活保護費の補助裏財源は措置されているが、審査・給付・指導の職員費は、どうみてもかなり超過負担である。貧困ビジネスをはびこらす要因である。マクロ財政収支では、職員費を措置したほうが、貧困救済の効果があがる。要するに不正・無駄な給付を、抑制することができる。

大阪都構想では、このような貧困救済行政はすべて特別区にまかせ、広域自治体は、広域的産業振興に専念する事業の仕分けである。貧困対策がすすまなければ、経済振興もおぼつかない。

そもそも公共投資と福祉サービスの、どちらが経済効果が大きいかは、雇用をみても、必ずしも公共投資が、大きいとはいえない。

大都市行政の矛盾は、市町村行政の矛盾でもある。大都市が積極的に運動を展開していけば、市町村の共感をえて、大きな政治・行政勢力となる。

指定都市は、その財政規模・行政技術に存在価値があるのでなく、政府間関係において市町村支配の弊害を、打破していく行財政の実績によって評価されるのである。

日常の行財政運営のなかにこそ、指定都市制度拡充の要素が、あるのであって、各都市が、独自施策の成果を積み上げていくことで、市町村全体で中央・府県集権の壁をはじめて崩すことができ、指定都市の充実への途もひらかれる。

第三に、府県制がこのままでは、指定都市の充実の見込みはない。府県経由方式の縮小によって、市町村自治の確立をめざすべきである。

戦後改革における特別市制が、なぜ挫折の憂き目をみたか、府県サイドの政治力によって、住民投票が、府県単位に変更されたからで、要するに横車で、特別市制を、政令指定都市制に、矮小化させられてしまった。

しかし、大都市サイドも、大都市制度に内蔵された欠点を、克服する処方箋がなかった。第一に、特別市制後の残存府県の問題である。大都市サイドは、残存府県区域だけで府県行政を運営できる制度・システムを提示できなかった。

要するに、残存府県だけで新府県を創設するか、府県機能を、対特別市制では、事務連絡をベースにして、他の区域には、従来、どおりの府県機能を分担する一府県二制度である。戦前の三部経済制は、これらの要請に対応した特別制度であった。

今日では特別市制には、それでも地理的問題をはじめ、多くの欠点がのこるが、それらは制度的運用的対応で治癒できる問題である。

府県を経由官庁・調整機関として、あらゆる問題を処理しようとする方式より、多様な地方制度を創設して、問題への効果的即応的解決を、図っていく方式のほうがすぐれていることは、たしかである。災害・伝染病をみても、府県の調整・連絡機能より、初期における市町村の臨機応変の即応力が総てである。

第四に、大都市は、一般的常識的に、基礎団体としては、大規模で住民参加の実益があがらないと、大都市分割論の批判にさらされてきた。

理論的には、一つに、住民参加の点からは、基礎的自治体の規模は、限界があり、むしろ小規模が、のぞましいといわれている。

しかし、これは自治体の規模でなく、地方自治法の欠陥である。アメリカのように、有権者の数%の署名で、住民投票を要求し、実際に決定権のある住民投票制度（レフェレンダム）を、導入すればすむ問題である。その意味では、指定都市より大規模の府県・道州が、多くの事務・権限・財源をもつことは住民自治の原則から見て問題である。

二つに、基礎行政サービスを充実していくには、自治体の規模は、大き過ぎる。大都市は行政区単位程度に分割し、コミュニティ行政・生活行政に、特化すべきだとの大都市分割論が展開されている。

しかし、大都市は、経済・社会・行政的に、一体を形成しているのであり、分割によってさらなる行政的混乱に、拍車がかかるであろう。

たとえば財政をみれば、中心の業務地区・周辺の工業住宅混在地区、外周の郊外住宅地区から構成されており、同一市域内で、財源調整・税源配分を、事実上行なっているのである。貧困区が独立しても、生活保護すら満足にできないであろうし、一方、中心業務地区では、環境工場の建設用地すらないであろう。

三つに、基礎自治体の規模は、社会経済圏の一致で決定するべきで、10万人でも大き過ぎ、10万人でも小さいことになる。市町村の規模に関係なく、地域近隣行政は充実できる。市町村合併がつねに批判されてきたのは、被合併町村の行政・政治権限が、根こそぎ中心市町村に奪われたからである。また大都市では、区制が文字どおりの行政機関に過ぎないからである。基礎自治体の末端行政補完組織が充実していれば、規模の問題はかなり解決できる。たとえば市町村税均等割を、行政区・被合併町村などの末端機関に付与するなど、準行政システムを整備することである。

四つに、実際は、事務事業配分の多様性、財源措置の傾斜配分性、共同処理方式の成熟度、上位行政機関の補完性によって規模は変動する。市町村の適正規模を都市の大きさで判断するのは、〝ためにする議論〟であり、行政・生活実態から遊離した机上の空論である。

大都市は、府県からつねに大都市制度の欠点・限界が、指摘されてきた。このことは現行制度を前提として、府県・大都市が協調路線をとっているのと、制度論として双方が、相手を攻撃するのは別問題である。

その意味では、大阪都構想は、府県・大都市の本音の論争を誘発させた契機となった。双方が、行財政データを公表し、とことん論争することは、市民にとっても行財政改革がすすむムードが醸成され、最終的に地方自治に貢献するであろう。

Ⅲ　大阪都構想の制度的課題

1　東京市消滅と都制の混乱

橋下知事の究極の目標は、関西州であり、大阪を首都とする道州制の創設である。しかし、問題は大阪経済の復権は、道州制で回復するかである。ただ道州制は、中心府県への経済集中をもたらすので、大阪経済にとってはたしかにメリットであるが、その他府県にとっては、経済的にはデメリットであろう。

橋下知事は、当面は、大阪都創設で大阪府・市の二重行政の弊害を淘汰し、その余裕財源で地域開発をし、大阪経済の復権構想を描いている。しかし、府市の行政実態を、分析すれば、二重行政などはなく、一般うけをねらったプロパガンダでしかない。

しかも大阪都構想が実現しても、特別区との間で新らたな紛糾が頻発し、経済復興どころではなく、大阪が支離滅裂の壊滅状況に陥るかも知れない。

橋下知事の方法は、教育改革・財政再建をみても、十分に功罪を分析することなく、局所的事実をとりあげ全体の改革をめざす一点突破方式を得意としている。しかし、創造的破壊といっても、成功もあれば失敗もあり、政策的評価分析が、基本をなしていなければならない。

大阪都構想は、当然、東京都の大阪版であるが、東京都という「畸形的制度」は、それほどすぐれた制度とはいえない。

東京都制でみると、第一に、誕生の経過からして、戦前、昭和一八年の戦時体制下の産物である。戦争遂行と帝都防衛のため、東京都→特別区→自治会の行政統制を貫徹するため、中間の東京市を排除したファシズム体制の遺物である。世界的にみて類例のない変則的制度ではなかろうか。

第二に、東京都制は、制度には東京府と東京市が消滅して、東京都の誕生になっているが、実態、東京府は消滅することなく、東京市を吸収して存続している。要するに東京市を抹殺して、行財政支配権限をそっくりそのまま、東京府が収奪したのである。

橋下知事がいう「大阪府の解体」でなく、「大阪府の膨張」である。当時は、官選知事であったので、中央政府が東京市まで掌握したことになる。

もともと都制は、東京市の公選市長特別市制と、政府・東京府の官選知事都制との、対立の結果、東京市が完敗して東京都が成立した。したがって制度としては、東京府という小規模団体（18年度歳出予算一・四六億円）に、政府が強引に、大規模な東京市（18年度歳出予算四・三七億円）を、接着剤でくっつけた、急造普請の欠陥制度である。

第三に、自治体として二重性格で〝双頭の鷲〟といえる。東京都は、東京市を吸収して、特別市制となったのでなく、東京府と同様に、東京府下の市町村を、他府県と同様に支配・監督したままある。要するに東京市が消滅しただけで、それ以外にはなにもかかわらなかった奇妙な改革であった。

東京都は、かって「醜怪なる畸型児」（吉富重夫）と、酷評された。その評価の対象は、自治体としての大規模性にあったが、真の欠陥は、規模でなく、単一団体が府県として、市町村の監督・許認可行政をしながら、同時に大都市行政を分担している、二重人格者・二重行政である。

東京都は、地域行政を特別区に移譲しても、交通・水道・環境・都市改造などの大都市行政は、東京都の分担とした。如何に東京都知事が優秀であっても、満足な都市行政はできない。

なによりも、府県行政と都市行政が混在した、東京都の行財政方針、地域整備戦略、首長・議会の責任がどうしても曖昧となり、選択がきわめてむずかしくなる。

第四に、特別区との関係は、必ずしも明確でなく、特別区の不満は、累積している。東京都としては特別区は行政区であることが、最高である。そのため戦後自治制での区長公選制の廃止に奔走し成功した。

しかし、区民とすれば、区長も選べない状況は、あきらかに地方自治でみとめる首長公選という住民自治権侵害であり、準区長公選運動で、最終的には、区長公選制をかちとっている。

第五に、大都市行財政の一体性・統合性からみて欠点が多い。大都市は、基礎的自治体としては大規模であるので分割すべきだという幼稚な分割論が一般的にひろがっている。

表1　大都市制度改革の類型

区　分	大阪都構想	特市制度	政令指定都市
府　県　区　域	道州制・府県合併		府　県　存　続
府県の形態	都制・府県併存	特市単独制	府　県・市　併　存
中心都市の形態	府県・市吸収合併	都市・府県吸収合併	府県・市存続
区制度	独立区・行政区	行政区	行政区
行政事務の配分	広域・狭域行政分担	都市単一行政方式	都市単一行政方式
財源権限の配分	都・区制度的再編成	単一都市への集約	市区の内部的配分
中心都市の規模	周辺市町村合併	個別合併方式	都市規模固定
制度改革の目的	二重行政・監督廃止	大都市行財政強化	事務事業移譲促進
新地方団体の機能	広域開発行政重視	都市整備行政重視	都市機能拡充

大都市の実態は、財政をみても、富裕地区が、貧困地区を支援することで、自己完結型の財政調整を実施している。また広域・狭域行政に、都・区の事務配分をしても、事務事業の線引きが実際は不可能であり、都・区の常に紛糾の原因となった。

大都市分割方式は、戦前の学区制（区単位の独立採算制の教育行財政方式）の復活であり、市民にとっても、負担の不公平をもたらし、行政にとっても、行政水準向上の阻害要素となってきた、苦い歴史的事実の再現でしかない。

都制のように、大都市を分割し、広域行政は都で分担するといっても、住民登録などの生活行政でも広域処理がのぞましいので、人為的に分割すれば隋所で不都合が発生する。

大都市制度の争点（表1参照）を、整理すると、第一に、府県区域をどうするかであるが、都構想・特別市でも、必ずしも道州制・府県合併をともなうものでないが、道州制・府県合併が実施されなければ、都制の広域行政は実効性があがらないであろう。

第二に、府県の形態は、都制では中心都市区域では都制、その他の地域では従来どおりの府県制が存続する。特市でも同様の問題が発生する。残存地域を分離独立させて独立の府県とするかどうかである。

第三に、中心都市の形態は、都制は実質的に府県による市の吸収合併となり、特別市制では反対に中心都市による府県の吸収となる。

第四に、区制度は、都制では行政区・独立自治体区の方式が考えられるが、大阪都構想は、一応、区再編成ののち、独立自治体方式である。特別市制・政令指定都市方式では、行政区が基本である。

第五に、都制では、都と区は別個の地方団体となるので、事務事業の配分が必要となり、当然、都広域・区狭域となる。特別市制・指定都市方式では、単一都市が広域・狭域行政を分担することになる。

第六に、財源・権限の配分は、都制では都・区間での権限の配分問題が発生する。一応、権限は配分できても、許認可行政が残り、二重行政は存続する。財源は、特定税目を特別区への一律配分は、財政力格差からできなく、財政調整の特別システムが必要となる。特別市制・指定都市では、配分の必要はない。

第七に、中心都市の規模は、大阪都構想では、周辺都市の合併を前提条件としているが、東京都制では、合併はなく、東京市がそのまま吸収され、三多摩地区は従来どおりの市町村制度が適用されている。特別市制・指定都市では、合併は一般的には要件ではない。

第八に、制度改革の目的は、都制は二重行政・二重監督の淘汰といわれているが、府市の財源・権限の集中による強力な行政団体の創設である。特別市制・指定都市も、府県からの財源・権限・事業の可能最大限の移譲をめざす。

第九に、新地方団体の機能は、都制ではどうしても広域行政・開発重視となる。特別市では府県財源・権限を活用して、都市整備事業に傾斜しやすい。指定都市では、従来どおりの行政であり、移譲された分、現地総合性を活用して、都市行政の拡充・向上をめざすことになる。

大阪都構想は、このような大都市制度の多様な選択を十分に検討し、都制構想に至った経過はみられない。大阪府にもっとも有利な都制を拙速に打ち上げ、しかるのちに研究会を発足させている。

問題は、府県制とともに、大都市制度も百年以上の歴史があり、変革にはよほど明確な効果が確実にあり、関係自治体の合意形成が前提条件である。強引に制度改革をしても、新制度は円滑に運営されない。

平成の市町村合併をみても、小規模町村が独自性を主張して存続しつづけている。道州制・府県合併も、数十年以上の懸案事項で、特定の府県知事が主張し、反対勢力を駆逐して強権的に遂行する行政課題になじまない。

2　地方制度調査会と都制改革

地方制度調査会での、注目すべき見解は、制度論のみでなく、東京都が都市政策などで、有効な事業実績・政策展開をなしているかが、とわれたのである。

地方制度調査会8次―3「首都制度当面の改革に関する答申」（昭37・10・1）は、「東京府市を合体して都制が設けられて以来、二重行政・二重監督の弊は除去されたとはいえ、都は、府県の事務のほか、特別区の存する区域においては、市の事務をも併せ行なうものとされているため、………都行政は、質量ともに複雑ぼう大となり、一つの経営体としての円滑かつ能率的な運営がきせられなくなっている」と、都の肥大化・機能不全が指摘されている。

そのため都・特別区の事務事業の再配分が求められ、東京都の事務事業は、広域・大規模・専門機能などとし、特別区は地域行政とし、都から特別区への大幅事務移管を答申している。

地方制度調査会13次―3「都市制度に関する中間報告」（昭44・10・15）は、東京の区域については、特別区を完全自治体とする。再編成して市とする。特別区で一市とし、都は首都圏程度の広域団体とする。特別区は廃止し、行政区とするなど、さまざまの提案がなされた。

大阪については、東京都とは、かなりニュアンスは異なる。「ア　広域的な処理を要する行政については事務ごとに実態に即して処理する……住民に直結する行政を処理するためには管理能力に限界もあるので、市の区域の拡張により大都市問題が解決するものではない。イ　大阪市の区域が他都市に比べてとくに狭小なため不便、非能率があり、大都市圏を一体とした行政を計画的かつ統一的に処理するため、広域行政の見地から市の区域を拡張すべきであり、府県は合併等によりさらに広域的な機能を果たすべきである。ウ　大都市圏の制度としては、圏域内の諸都市の責任で運営される連合制度が適当である」と、さまざまの見解が、答申されている。

地方制度調査会第14次―2「大都市制度に関する答申」（昭45・11・20）は、「東京の改革」については、「(1) 国からの権限移譲、(2) 広域行政について一都三県の連合組織、(3) 特別区の再編成と事務移譲の拡充」を答申している。

「実施機能について」は、広域・狭域機能の分割を答申しているが、「広域、狭域の行政組織をどのような規模で、どのように構成するかについては、なお議論がわかれている」としている。

「大阪について」は、「ア　大阪府の区域が他の府県に比へて狭小であり、その大部分の地域は一の大都市としての実態を具えていること。イ　大阪府の中で大阪市の占める比重がかなり大きく、府市の二重行政の問題があること。ウ　大阪市の区域が大阪の大都市圏における地域社会の実態に即応しないのみならず、他の指定都市等と比較しても狭小であること。このため大阪については従来から大阪府の区域をこえる広域行政重要に対応するため、阪奈和合併等の論議が提起されるとともに、大阪市の区域拡張論、大阪府の区域をもって一種の都制を設置する案等が提唱されている」と、分析されている。

では大阪府・大阪市の関係をどうするかについて、答申は、広域行政は府県合併で対応し「大阪市及び市町村の区域」に関して、「市は都心部の再開発に専念し、府は周辺地域について市町村行政を補完し都市の経営に当たっているという現在の行政体制は府市の二重行政という理論上の問題があるにもかかわらず、その運営の実態においては地域的な機能分担を図りつつ、それぞれ大都市問題の効率的な処理に努力している状況を認めることができる」と、現実的対応を評価している。

制度・区域の再編成については「府県制度将来のあり方との関連において検討することが適当である」と、答申している。

要するに、現行制度での府市の機能分担方式が、実際は実績をあげており、無理に制度改革をする必要がないとの判断である。実際、大阪府が郊外住宅・工業団地を開発し、大阪市が都心市街地再開発をすることで、大阪府全体は、それぞれの特徴をいかした、地域整備を成功させてきたのである。

その後も自治省・東京都の改革案も提示され新聞紙上を賑わしたが、決め手となる解決策はない。要するに制度論としては、さまざまの見解があるが、機能論からみれば、「そもそも現在の東京都がそれほどうまく機能しているか、疑問視されている。特別区（23区）は税制など権限が弱く、住民自治に不十分との指摘は根強い。経済界には23区を改編し『東京特別州』に移行させたり、かつての『東京市』に戻す議論すらある」（毎日新聞・5・30反射鏡）といわれている。

3　東京都・特別区の紛争

かりに大阪都構想が実現しても、特別区との間で、より不毛の紛争が頻発することは、東京都の歴史的事実で避けられない。原因は、東京都制度は、東京府がよいとこどりの制度改革であったからである。

東京都制は、本来、東京府が東京市を吸収したとしても、特別市制を成立させ、残存の三多摩地区などは、府県として独立しなければ制度改革の実効性はない。しかし、東京都は、東京府についてなんらの改革をしなかった。

東京府・神奈川・埼玉・千葉県などの府県合併を同時になさなければ、都制の改革効果はない。また東京市サイドからいえば、指定都市が特別市制となり残余は独立府県とならなければ、都制の混乱は避けられない。

三多摩地区が独立県となっても、一般府県なみの人口・財政力をもつ府県としてやっていける。広域・専門行政は、どうするのか、現在の府県でもおなじであり、五十歩百歩である。どうしてもとなれば都市連合方式でなんとかなる。東京都消防庁のような組織を形成すればよい。

しかし、都制は、拙速的に東京市を解体し、行政特別区方式を採用した。そのため今日まで東京市解体論・東京府分割論が展開されてきた。東京市解体論の根拠は「特別区効率論」である。府県サイドは、大都市は基礎的自治体として規模が大きいので、民意から乖離した存在であり、現在の行政区単位に分割すべきとの見解が定着している。

阪神大震災の復興・救済行政でも、兵庫県の見解は、神戸市が区単位の自治体であれば、さらに円滑に救助活動ができたと批判している。しかし、仮説住宅の設置・道路復旧事業などをみれば、こまぎれの区政では対応できない。むしろ震災関連行政の主導権を、府県がもっているため、市町村がどれだけ二重行政に悩まされたかの、行政実態は無視されたままである。

分割反対論としては第一に「大都市一体論」である。分割すれば、大都市行政が円滑にいくという発想は妄想である。生活行政といっても、住民登録・生活保護だけでなく救急医療とか防災対策とか、都市を一体とした広域・専門行政である。

生活行政でも、交通・病院・都市再開発などと密接に関連しており、生活行政イコール狭域行政ではない。このような基幹行政を、広域行政として分離し、都が分担しても、行政の現地総合性からいって、円滑なサービスはできない。

交通行政は、広域行政といっても交通弱者・買物難民をいかに救済するか、きめこまかな行政対応が必要となり、まさに狭域行政そのものである。広域行政といっても、所詮、高速道路ぐらいである。

市制は、財源問題をみても、貧困区・富裕区・都心区・住宅区などが、単一の市を構成することで、自己完結型の財政調整をなしている。都市政策の実施も、当然、都市の一体性を前提条件としてはじめて成立する。このような地理的社会的経済的精神的に、一体をなしている都市を、分割・解体することは、ある意味では暴挙に等しい。

第二に、「財源調整論の適用」である。都制は本来、市が課税していた税源を、財政調整の必要性から、一部を都が徴収して特別区に再配分する、都区財源調整が組み込まれている。

市制であれば、市財政の枠組みで自然調整されていた。しかし、分割して再配分となると簡単にはいかない。現在の制度では、税源の偏在性が大きい固定資産税・市民税法人分など5税目が調整財源となっている。

堺市の試算では「現在の市収入のうち七九五億二千万円が大阪都に入り、堺市に残るのは個人分の市民税など四九七億円。堺の特別区収入の約一・六倍が大阪都にひとまず入る計算だ。都から一定の税が還元されるとしても、国の地方交付税と似た仕組みになり、交付税でなく地方の課税権を強化せよと国に言っていることと逆になる。堺の裁量で使える財源が極めて少なくなる」（長谷川俊英・朝日・5・28）と、都区財源調整の欠陥を明確に指摘している。

第三に、「事務事業配分の不合理性」である。本来、一体的に処理していた事業を人為的に分割しても合理性のある分担方式はできないのである。

戦後も、東京都は存続したが、地方自治改革の余波で東京都・特別区の関係で紛争が頻発した。一般の府県・市町村関係に比較して、はるかに複雑な行財政問題が、発生していったからである。

第一に、特別区の処遇を、どうするかである。昭和22年の地方自治法施行で、区は行政区から自治体になった。

このような特別区の自治体化は、当時の保守政府・東京都にとって、決して好ましいものでなく、27年の地方自治法改正で、区長公選制は、廃止され、特別区が処理する事務事業も、制限列挙され、自治権も制限された。そして東京都は、最強の基礎的自治体となり、特別区に君臨することになる。

第二に、昭和37年の地方制度調査会の「首都制度当面の改革に関する答申」にもとづいて、東京都制の行政的行き詰まりを、打破するため、39年地方自治法改正で、都事務の特別区への大幅な移譲が、実施された。

昭和49年の地方自治法改正では、区長準公選制が復活し、特別区の市制化が一段とすすみ、保健所事務なども移管され、都職員の区への配属制度も廃止された。

第三に、平成10・12年の地方自治法改正で、東京都・特別区の再編成が行われている。まず制度的に特別区が自治体として制度的に認知された。東京都の権限は、広域行政に限定された。一般市町村行政を、東京都が分担するのは、限定的例外的とされた。

要するに、東京都は戦後改革にもかかわらず「東京市」の都市的事業・財源を手放すことなく府・市の総合官庁として存続を図っていった。戦後自治は、このような方針を、容認するはずはなく、自治復権として特別区の自治体化を達成したといえる。

重要なことは、今日の特別区の自治権は、戦後改革で付与された自治権を、政府・東京都によって剥奪されたが、区民の自治権回復運動によって、復権させた成果物である。このことは特別区の地位が一般市に比較して、その制度的保障が、きわめて弱いという制度的欠陥を、示す歴史的事実である。

第四に、東京都・特別区は、今後どうなるか、財源問題もあり、特別区は、東京都からより多くの財源を獲得し、より多くの事務事業の移譲をうけ、完全自治体、特別区再編成、さらには「東京市」復活も、東京都・特別区の論議の如何によっては、改革目標となってくるであろう。

特別区は、職員採用などで擬似「東京市」を実践していき、将来、さらなる共同処理の実績を積み上げいくと、「東京市」復活が浮上していくことも、夢ではなくなってきたのである。

特別区が、完全自治体として独立性を強めていけば、大都市として東京はばらばらとなる。財源をみても、都心区・郊外区などがあり、財政力格差は大きいが、東京市で全体として調整されていった。23区方式は明治の学区制と、おなじ矛盾に直面することになる。

行政区か自治区かが問題ではない。都制であれば自治区、市政であれば行政区である。分割分離された23区が統合できなく、独立自治体としてこまぎれ行政をしているのは、大都市行政の総合性からみて不幸な事態である。

4　不毛の二重行政論争

大阪都構想の具体的メリットは、大阪府・大阪市の二重行政解消と、一般的に信じられているが、一種の先入観であり、皮相的分析にもとづく、誤った評価である。

大阪府は、４月22日、大阪府と大阪市の役割分担などを整理し、府市再編を含め新しい大都市モデルを議論する「大阪府自治制度研究会」（座長新川達郎同志社大学院教授）の初会合を開いている。

橋下知事は、冒頭の挨拶で、「アジアの各都市と競争するため、限られた財源を有効に投資できる広域行政体と、住民により身近な基礎自治体を組み合わせた大都市モデルを大阪からつくっていきたい」（日経新聞・４・22）と、持論をのべている。

二重行政解消の具体的事業として、１３４事業を、大阪府自治制度研究会に、６月２日に報告している。大阪府の意向は「地下鉄、公立大学、港湾などは、広域自治体が実施する方が望ましい。一方、上下水道や生活相談などは基礎的自治体が担うべき」と仕分けしている。

産業振興や都市計画にかかわる44事業は府、生活に直結する58事業は、市に一本化すべきだとしている。また私立幼稚園の設置認可など、府22事業を市に振り替えるとしている。一方、地下鉄についてはは、「私鉄との乗り継ぎなど広域的戦略が必要」として、府の業務に分類し、民営化も検討するとしている。

このような二重行政の仕分けについて、研究会委員から、「なぜ二重行政になったのかを明らかにすべきだ」「府市連携でやることはできないのか」「大阪府と大阪市の問題は、制度の問題ではなく、政策の不調ではないか」の意見がだされている。

一方、大阪市の研究委託をうけた大阪市立大学の研究報告書は「二重行政の定義」について「基礎自治体と広域自治体とが類似の事務事業を実施しており、そのことが非効率を生じさせたり、手続き面等で住民に過重な負担をもたらしている場合の、その事務事業を言う」としている。

しかし、類似行政が「非効率を生じさせておらず、相乗的な効果を発揮し、効果的に住民のニーズに対応できている場合には、『二重行政』とは言えない」としている。

ただ「自治体財政が逼迫し、自治体の事務事業の全体が見直しの対象となっているような状況では、基礎自治体と広域自治体が類似の事務事業を実施している事例のすべてが、潜在的には『二重行政』に該当するものとして、見直しの対象になる」とみなしている。

「二重行政に該当する可能性のある事例」として、「・中小企業支援行政（金融支援＝信用保証協会、創業支援、経営支援、技術支援）、消費者支援行政（消費生活センター）・就職支援行政（OSAKA仕事館・JOBプラザOSAKA）、図書館、病院、大学」などである。

なぜ二重行政が、大都市で特に発生するのかについて、「大都市自治体が、その行財政能力やスケール・メッリトを活かして、法的には基礎自治体に実施が義務づけられていない事務事業を数多く実施してきたため」「広域自治体が、その事務事業を大都市地域を中心として展開したため」といわれている。

このような二重行政を解消するには「『特別市』や『都市州』の構想の実現」、「基礎自治体と広域自治体の事務分担・役割分担の明確化」があげられている。

しかし、二重行政の解消は容易でない。「一層化→広域行政のすべてを処理できるか」（警察行政）、「基礎自治体優先の原則→広域自治体が実施する事務事業の範囲は、基礎自治体によって、かなりの相違が発生し、広域自治体の行政が非効率となる」「広域自治体事務・基礎自治体事務の明確な区分設定は、できるのか」などである。

ひるがえって考えてみるに、「二重行政論」は、〝ためにする論議〟である。大学とか病院とか文化ホールなど、同類の府立・市立施設があるから二重行政ということになっている。

二重行政論は、地域・住民ニーズからの視点が、欠落した分析・評価であり、現在の事務事業配分の原則である、「現地総合性」「補完性の原則」から遊離した区部論である。

第一に、一般的行政では、いうところの二重行政が発生するのが、警察行政は府、消防は市と機能区分されている。住民登録は市町村であり、地方税事務は府民税を市町村が、市町村民税といっしょに徴収しており、二重行政にはなっていない。むしろ府県許認可にみられる、不必要な許認可が典型的二重行政である。

第二に、いわゆる箱物行政は、多くあっても住民の利便を考えれば多々益々便ずることになる。無駄な箱物は行財政改革の対象になるが、二重行政とは無縁である。当該自治体が行財政改革で、整理するかどうかで類似施設があれば整理しやすいだけである。

府立大学と市立大学があるのは、二重行政だといわれているが、それならば国立大学だけがあればよいことになる。病院もおなじである。

消費者センターは一つで十分といえるが、消費者センターの機能・運営方針が異なっており立地条件もあり、二つある方が行政サービスとしては競争のメカニズムがはたらき行政も活性化する。

地方事務事業を広域・生活行政に区分するのも、奇妙な論理である。第一に、自治体として広域的開発行政だけおし、生活行政をまったく分担しない地方団体は、自治体といえないのではないか。

第三に、広域自治体・基礎自治体の事務事業区分を、生活基盤（安心）は基礎自治体、産業基盤（競争・成長）は広域自治体がという、事務事業配分はナンセンスである。

大規模災害への対策は、広域自治体の義務である。生活行政といっても、大規模災害への対策は、広域自治体の義務である。中核病院施設・救急ヘリなどの専門特殊サービスも、広域行政である。広域救急だけを、広域団体がするのは、行政的に不都合である。

さらに福祉行政でも、施設サービスは基礎自治体の業務であっても、大規模・専門施設は広域行政となるが、その線引きはできない。基礎的自治体の能力に格差があるからである。

自治体の事務事業配分は現地総合性と補完の原則で、現行の地方行政は分担されている。安心行政でも広域行政があり、産業基盤行政でも狭域行政がある。行政の種類でなく、当該自治体の行財政能力で、区分され大きな不都合は発生していない。

第四に、大阪市が、一般市町村とことなり港湾・交通事業を経営しているため二重行政となっているとみなされている。「大阪は、大阪市が政令指定都市として大きな権限を持ち、基礎自治体としての行政だけでなく、鉄道や港湾などの施策も担ってきた。都市が周辺に大きく広がっていくなかで、大阪市が広域行政を担うのは無理がでている。象徴は地下鉄だ」（慶応大学教授上山真一、朝日・22・5・28）と、大阪市政が批判されている。

しかし、このような批判には、多くの問題や事実誤認がある。第一に、大阪市は政令指定都市といっても広域行政を展開する権限どころか、最近まで大阪市の区画整理事業すら大阪府の都市計画審議会の承認が必要であった。要するに大きな権限などはもっていない。権限をもっているのは大阪府であり、その行政的怠慢が広域行政の停滞を招いている。

第二に、大阪市の港湾経営が広域行政に反することになっているが、明治期に大阪市が市営港湾として辛苦のうえ建設したのである。ちなみに名古屋港は、愛知県が建設し、現在は名古屋市と共同経営である。

大阪府は、大阪港を経営したいのであれば、買収すれば済むことであって、大阪都構想で無償収用するのは、虫のいい話である。大阪府は堺港などを経営しており、港湾行政も府内で棲みわけができている。

さらに港湾の広域行政というならば、神戸港との合併であるが、政府は阪神外貿埠頭公団を設置し、両港の共同経営をめざしたが、数年で解体され、もとの個別港経営となっている。大阪府が、広域行政の実績をあげるには、兵庫県との合併が先決となる。大阪都構想は大阪府の区域だけでは、広域行政は実際はほとんどない。

第三に、大阪市営地下鉄が広域行政事業であるのに大阪市が経営していると、槍玉にあげられている。「御堂筋線は利用者がとても多いのに複線化が進まず急行もない」（前掲上山）とこき下ろされている。しかし、御堂筋線は複線で、いわれる趣旨は複々線をさすのであろうが、東京・営団地下鉄千代田線でも、複線で急行はないのではなかろうか。

私鉄との連絡の悪さも批判されているが、東京とて、必ずしも連絡はスムーズではない。むしろ東京の地下鉄のように、営団と都営が混在しているのに、大阪は、市営地下鉄は、単一事業体で、効率的な経営を展開している。大阪市の交通ネットワークは、京阪は中之島線を開通させ、阪神は大阪経由で奈良まで直通でいけるようになった。都制の東京より私鉄は発達している。

府営になったら、地下鉄・私鉄の連絡がスムーズになることは、梅田の阪急・阪神・地下鉄、難波の南海・近鉄・地下鉄の構造を一見すれば、絵空事であることが、一目でわかる。

周辺都市への延長は、私鉄との相互乗入で対応しているが、大阪地下鉄の市外延伸は、人口密集地区でなければ、経営赤字は避けられない。大阪府が赤字補填をしてくれるならば、大阪市は郊外延伸の相談にのるかもしれない。

しかし、延伸は私鉄の営業圏域への参入であり、路線認可の問題で、営業補償を要求されかねない。大阪國際空港まで地下鉄を延伸すれば、建設費で数千億円、営業赤字で数百億円がでるであろう。南海電鉄との競合路線となる。大阪都構想が実現しても、地下鉄延伸は現在のなかもず（堺市）までが限度で、それ以上は大阪府の負担次第である。

すなわち二重行政論は、先入観と偏見の産物であり、大阪都構想は、架空の行財政需要をもとに現状を批判している。実際の行政実態をふまえて、科学的で合理的な二重行政論を、提示すべきである。

ただこのような二重行政も政治対象となると、「地域政党『大阪維新の会』は、こうした無駄をなくせば経費を七千億円節約できる」（朝日・4・24）と主張する。この記事が、府民には誤った判断をうえつけていく、住民としてみれば、七千億円の削減に期待して、都制度を選択するであろう。

しかし、二重行政の解消では数億円の節減しかなく、高速道路とコンテナー埠頭だけが、建設されるとなると、住民の判断も都制反対になるだろう。

これは政治が、現実を偽り、詐術の数値で民意を誘導する〝ためにする議論〟政治の失敗〟という典型的事案である。このような悲劇をさけるには、権力者の意図はどこにあるか、科学的データをもと分析し、政策効果を検証するしかない。

いわゆる二重行政を認めたとしても、府県が指導・専門・財政支援団体の域をこえて、中心都市に施設行政を展開したからである。府は、教育・医療・環境行政でも、市施設の財政支援を手厚くするか、補完の原則で専門機能に特化するなど、府政が配慮すればかなり防げたのである。

5　都制機能不全と東京都分割論

この東京都制を大阪に導入するメリットはほとんどない。第一に、地方分権の基本原則に反する。戦後地方制度改革の基本理念は、現地総合性・補完の原則である。事務事業は可能最大限に基礎的自治体が分担し、それが不可能な場合に上位機関が市町村を補完することである。当然、権限・財源・事務を、住民にちかい基礎的自治体におくことである。

都制は、その意味では、財源・権限・事務を、住民からより遠い団体へ、吸い上げることであり、地方分権に、逆行する改革である。

府県による広域行政の展開は、課題は多いとしても、住民コントロールは可能である。しかし、都制となり地域行政も分担すると、費用効果分析・会計処理方式も不十分となり、住民統制は難しくなる。

第二に、大阪府・大阪市合併でどのようなメリットがあるのか。二重行政というが、どこに二重行政があるのか。公立図書館・体育館・大学・病院が大阪市内に二つあっても、府民・市民サービスの向上からいって、競い合って、むしろのぞましい状況である。

もしいうところの二重行政を、回避したいのであれば、兵庫県のように神戸市域外に設置すればよい。病院は泉南に、体育館は北摂に、研究機関は能勢町に移設すれば解決できる。府県は、本来、財政支援団体であり事業団体ではない。補完の原則からは、建設しても運営は、市町村に委託すべきである。

二重行政の弊害とは、箱物行政ではなく、むしろ府県がもつ許認可権であり、明治以来、政府は地方支配の便宜から、府経由行政を重宝してきた。府県行政には、無用の許認可権が多くあり、市町村行政の非効率化をもたらしている。二重行政の解消は、府県の権限を市町村に移譲することであって、都制は二重行政を、増幅させる時代逆行の制度である。

第三に、大阪都構想の事業配分は、都は広域行政、区は生活行政といっているが、制度的にみて大きな矛盾がある。それは財源問題である。現在の東京都制では、特別区の財源は固有の区税と、都区調整財源とに固定されている。

特別区の事務事業がふえても、財源は増加しない。それは一般の市町村のように、地方交付税が交付されないからである。特別区が事務事業の移譲をうけて、自治権を拡充すればするほど貧乏になる財政メカニズムがはたらく。

東京の特別区は、都市成長が、旺盛であり、税収の自然増を背景にして、事務移譲をすすめている。しかし、大阪都制では、このような状況は、期待できない。少ない地方財源をめぐって、大阪都と特別区で、熾烈な財源闘争が、発生するであろう。

このような問題解決策がない、閉塞状況を、打開する改革として、もと自治省行政課長・遠藤文夫は、大胆な「東京都分割論」（『自治研究』第46巻第8号、昭和47年8月）を、提唱している。

大都市制度の核心は、都市問題をどう解決するかであり、制度論からアプローチするべきでない。地方制度調査会（第14次—2）がのべているように「大都市制度の改革の問題は、大都市におけるこれらの都市本来の機能を回復し、これが有効適切に発揮され、住民生活上の隘路となっている諸問題が解決されるような制度上のしくみをいかにつくりあげるかという問題にほかならない」のである。

東京都について、都市問題は「単に特別区の自治権を拡充し、区長を公選すれば片のつくというような問題でもないはずである。その意味において、広域行政、自治権の拡充というようなスローガンのみにとらわれることなく、現実の東京の実態に即し、当面する課題に効率的にかつ適正に対処しうるような都市政府のあり方いかんという問題をより機能的にかつ実証的に追求する必要がある」（遠藤・前掲論文18・19頁）のである。

東京・大阪における、住民問題・交通・生活環境・都市再開発の事業実態・実績を比較してみて「都市政府の機能については、東京都、特別区という東京の都市政府より大阪府、大阪市という大阪の都市政府の方がより活力があり、積極的に事業を行なっているといわざるをえないように思われる。もとより、このことは東京の方が大阪に比し人口及び経済の集中の圧力が強く、土地問題その他の困難な要因が多いことも重要な原因となっているであろうし、いちがいに組織の責のみには帰せられないかもしれない。しかし、問題が困難であるほどこれに取り組む都市政府により積極的な活力を生み出す仕組みが工夫されるべきであって、大阪よりはるかに困難な課題に直面している東京都の行政体制が今のままでよいということにならないであろう」（同前23頁）とのべている。
また東京と大阪と比較して、東京都の問題点は「大都市の経営に関する責任が都に集中し、その組織が過大になりすぎたことである。……東京都は、東京府と東京市という二重行政、二重監督の弊を除去する目的をもって昭和18年度に設けられたものであり、東京都の区域に関する限り、機能の重複はさけ、総合的な経営の体制が整備されているはずである。しかしその結果都市政府の力が23区における市の責任に忙殺され、三多摩地域における府県の責任も十分果たせないという結果になっている。このことは大阪が、理論的には機能の重複といふ批判を受けながらも、東京において東京都が単独で負担している責任を、中心部は大阪市が責任を負い、周辺部は大阪府が責任を負うという形の一種の地域的分担の形において、東京に比べれば都市政府が活力を有していると思われることは皮肉な現象である」（同前24頁）と、むしろ大阪の現実的解決方法を、優れていると評価している。

このような東京都の現状から、東京都から三多摩地区を切り離して、独立の府県創設を提案している。理由は「広域行政の必要性の叫ばれる今日、時代の流れに逆行するとする批判がある………しかし、一つの都市政府が有機体としての活動を適切に営むためには、その規模が拡大すれば、必然的にその内部構造の改造が要請される」（同前27頁）のである。

東京都の場合、旧東京市と三多摩地区の分離で、都市政府の対応力を、回復させる方策を選択すべきである。「23区の区域について東京市を設けるとする方法を考えざるをえない」（同前28頁）としている。

要するに、広域行政については「合併及び連合という双方の手段を活用して弾力的に対応していく総合的なシステムを検討することが必要である」（同前29頁）と、結論を展開している。

制度は、生き物であり、どう運用されるかであるが、都制は、財源・権限の集中をめざす制度であり、運用にたずさわる首長・議員・職員も、その手中にした財源を分権化より集権化に利用したい誘惑にかられるであろう。

すなわち府域の狭い大阪府で、実質的に実効性のある広域行政はできない。むしろ府市町村の一体化を図っていく特別市制・北摂県・泉南県構想の方が現実的である。もともと泉南は、堺県であったが、大阪府に吸収合併されたが、奈良県は、大阪府から再置運動を展開して分離独立していった。

要するに、大阪府が大阪市の分割を主張するならば、大阪市は大阪府による府県合併を主張し、できなければ、大阪府分割論の実現を迫ることになる。

要するに大阪都構想は、『『財布と指揮官』を一本化して強い自治体にしようというんだ」（朝日・4・24）ということである。

大阪府に権限・財源を集中させ、基盤整備をやりたいというだけで、府民はこの開発優先・福祉切捨構想を、大阪経済圏の復興、行政組織の活性化などの改革ビジョンに、惑わされ気付いていないだけである。

Ⅳ　大阪都構想実現への橋下戦略

1　橋下知事の経済戦略

橋下知事は、どのような政策・戦略で、大阪経済を再生させ、大阪都構想を実現させようとしているのか。革新自治体のように、明確な理念・政策・方針はないので、個別の対応策から判断していくしかない。

橋下知事の経済戦略を、「大阪維新の会」の綱領・方針などからみると、まず「大阪の危機」を強調している。

「大阪の危機は、深刻である。……東京と比較すると大阪市の凋落ぶりは鮮明さを増す。平成8年の大阪市の一人当り所得は四一二万円で、東京の四二七万円と遜色なかった。ところが、平成18年には東京四八二万円と約一四〇万円もの差がついてしまった。優秀な人材の流入や将来性のある企業立地を促すこともできず、企業流出に歯止めをかけることもできなかった」と、危機感を募らせている。さらに不満の矛先は、政府の赤字財政・バラマキ施策にも及び、義憤を発散させている。

しかし、このような大阪経済の低迷は、構造的要因であって、自治体が、どのように頑張っても、阻止は不可能である。昭和30年当初、横浜・神戸市は、人口一〇〇万人であったが、現在では横浜市三六五万人、神戸市一五三万人と、2倍以上の差が発生している。

神戸市の経済戦略が怠慢であり、横浜市の経済政策がすぐれていたのでなく、すべて東京一極集中の経済メカニズムが原因である。しかし、神戸市民が、横浜市民の二倍不幸かというと必ずしもそうではない。また神戸製鋼をはじめ在神企業も、それなりに元気である。

「大阪維新の会」は、経済振興策について、同時に「大阪が持つ潜在可能性」について「大阪は一地域でありながらアジアや中東の中規模国家、たとえば台湾やサウジアラビヤ並みのＧＤＰを擁している（府内ＧＤＰは約38兆円）。環境、エネルギー、エレクトロニクス等の分野では世界をリードする技術を誇り、産業基盤も充実している」と、これからの日本経済を、牽引できる潜在可能性は十分あると、期待をつないでいる。

しかしながら「市町村は旧来の地域経営モデルとフルセット主義を改めることもなく、また広域的な調整も十分に機能していないため、府市を初め様々な取り組みがバラバラで、その潜在可能性を十分発揮することができないでいる。いまこそ、地域が自らの発展を戦略的に目指すことのできる枠組みを構築する必要がある」としている。

しかし、大阪経済の低迷と地方行政のフルセット主義は無関係である。トヨタの本社が大阪にあれば、大阪経済もすこしは活性しているであろう。

さらに関西経済圏の欠陥は、地理的にみて、大阪・京都・神戸市といった大都市の後背地が、すでに都市化され、工業適地が不足していたことである。ことに大阪市は生駒山系、神戸市は六甲山系によって、外延的発展をはばまれてきたのである。

行政団体が、一致団結して対応しても、地域経済の浮上は容易でない。兵庫県の地域開発、神戸市の都市経営をみても、かなりの努力をし成功を博したが、それでも神奈川県・横浜市には及ばなかった。

「大阪維新の会」は、大阪の危機を克服し大阪の潜在可能性をいかすため「大阪再生マスタープラン」を提案している。1から3までは、さきの行政制度再編であり、「4　大阪の潜在可能性を顕在化させ成長戦略を策定する。5　アジアの拠点都市に足る都市インフラ（道路、空港、鉄道、港湾等）を整備する」としている。

活動をまとめるため、キャッチフレーズ「ONE大阪」を設定し、「大阪の危機は官民を通じて認識され、様々な取り組みがなされてきたが、それぞれの取り組みがバラバラなため『負のスパイラル』から抜け出せないでいる。バラバラの取り組みを一つに方向付け、人々の連帯意識を育むため様々な分野（交通等）で『ONE大阪』に向けて運動を提案し展開する」と、方針をしめしている。

実際、大阪経済は低迷しているが、その解決を、官民一致の連帯という精神主義やアジアの拠点都市などの理想主義に結びつけるは、大阪経済がおかれている、経済構造の根本的ハンディから、眼をそらす観念的地域振興論との誇りを免れないであろう。

しかも「大阪維新の会」の産業政策は、あくまでも都市インフラ整備をベースとする、陳腐な戦略である。めざすところはアジアの拠点都市であるが、このような短絡的経済政策で、大阪経済は復権するかである。

第一に、経済開発至上主義への疑問である。安心・安全の行政をするには「圏域の競争力も強化と成長が不可欠」であるとするのは「論理の飛躍」がある。経済が成長しても、経済成長成果の配分が悪いと、成長の果実は基礎的自治体への還元はすくなく、安心・安全は、向上しない。

また経済成長戦略が、失敗すると、安心・安全は脅かされるだけでなく、地域経済はさらに疲弊することになる。

かつて高度成長期、経済力の強化・競争力の向上をめざして、自治体は、公共デベロッパーとして産業基盤の整備をなし、惨めな結果におわっている。すなわち経済戦略は、失敗がないという保証がないかぎり、公的財源の経済開発への傾斜行政はやるべきでない。

第二に、都市開発への集約投資策への疑問である。「活動方針」として行政的には「中心都市部（東京23区に想到する中心部）の機能更新が拠点の発展を促すという認識に立ち府域の再編に取り組む。鉄道網の整備、空港アクセスの改善等、中心都市部に重点的に投資し、その発展が周辺を潤し、福祉、医療、教育、安心・安全等に係る住民サービスを向上させるという認識は、世界の主要都市（ロンドン、ニューヨーク等）における都市再生に共通した考え方である」としている。

これでは「日本列島改造論」の大阪府版ではないか、交通基盤整備で地域振興を図っていく戦略は、大阪國際空港をみてもまったく効果がないことが実証されている。日本の地域における産業振興策は、公共投資先行型であり、経済政策としては本末転倒している。

産業立地があって交通手段を整備するのであって、交通手段を整備したから企業立地がすすむものでない。もちろん企業進出の受け皿として、ある程度の企業用地造成はゆるされるであろう。しかし、企業誘致のため基盤整備をするのは、誘致政策としては、きわめて危険性の高い施策の部類に入る。

また中心都市部に重点的に投資をし、その発展効果を周辺に及すという開発ビジョンも、机上演習の域をでないであろう。世界主要都市の共通施策といっているが必ずしもそうでない。

ロンドンをみても、インナー・シティの整備、すなわち下町環境整備であり、ロックランド開発のようなウォーターフロント整備である。パリ・ローマでも、新副都心の建設を実施しており、都心再開発一辺倒ではない。

第三に、都市整備の手法・効果への疑問である。都市整備の開発効果を、生活福祉・周辺市に及ぼすという、開発図式は、大阪市の都市再開発をみても、成功しているとはいいがたい。

かつて明治初期、京都が首都から転落して、存亡の危機に見舞われたが、科学技術振興と教育環境整備によって、産業復興の素地を培養し、その後、琵琶湖疏水事業という、基盤整備を成し遂げ、今日まで繁栄している。

要するに、地域経済振興の順序は、経済成長の技術・文化を育成し、その成果を確実にするため基盤整備をするのである。もし大阪府が、コンベンション基金を設置し、大阪文化を観光資源とし、内外から人々を集めれば、大阪國際空港の経営改善に、大きく寄与するはずである。

高速道路を整備しても、利用者がふえる見込みはない。「大阪維新の会」は、これまでの公共投資先導型の経済開発行政の失敗から、まったく教訓を学びとっていない。

東京一極集中は、政府の企業配置政策の欠落である。地域がインフラを整備しても、企業は分散されない。政府が、人口減少率に比例して、工場進出の奨励金を支出する、強力な分散政策の展開がもっとも実効性がある。

さらに人口増加地域には、企業・事業所には超過課税を導入して分散の財源とする。政府は、首都・近畿圏の工場学校制限法を制定したが、周辺地区の企業進出を制限しなかったので、ザル法と化しただけでなく、インナー・シティ政策に反する規制法となった。

金融活動でも、東京とその他では、租税負担に格差をつけるべきである。すなわち政府の公経済のメカニズムを活用した経済分散政策が、地域経済振興の前提条件であり、全国視野の施策が欠落していては、国土総合開発の二の舞になるだけである。

2　橋下知事の政治手法

橋下知事は、きわめてユニークな個性の持ち主であり、その具体的改革手法も、異彩を放っている。美濃部東京都知事、北川三重県知事、片山鳥取県知事とは、かなり異質な発想・行動で、世間の注目をあつめている。

第一に、「マスコミ向けの情報発信」を背景とする大衆政治である。國際児童文学館廃止など、大阪府の予算査定が、府民の関心をこれほど呼んだことはかってなかった。

また政府直轄事業負担金の納付請求書を、〝ぼったくりバアー〟と非難し、中央省庁の専横に怯むことなく、政府を罵倒した勇気に、府民は拍手喝采した。

これらの言動は、民主党の事業仕分けと、同類の作業であるが、削減の対象は外郭団体・特別会計などの問題の多い分野は避けている。いわば弱いものいじめである。

しかし、これら一連の言動は、「世間の注目を浴びるための橋下流の暴力的なポピュリズム発言である」（一ノ宮美成『橋下「大阪改革」の正体』3頁）と、非難されている。大阪府財政は、児童文学会館を廃止しなければ、どうにもならないという財政緊急事態ではなかった。いうならば児童文学館は、スケープ・ゴードにされた感がある。

マスメディアは、これを利用できる者にとって、民意を容易に操縦でき、その課題の真の問題は利用する者によって歪められ、つたえられる危機性を否定できない。

しかも橋下知事は、前言をしばしばひるがえしている。知事選の立候補は2万パーセントないといったが立候補した。さまざまの理由があったのでこれは許容できるであろう。しかし、「収入の範囲以内で予算編成する」と断言したが、結局は退職手当債の発行などで、辻褄をあわせている。

財政運営の実態とは関係なく、橋下知事は、財政再建の救世主、減量経営の旗手としての名声は、テレビで府民に強く印象づけられ、日産自動車のカルロス・ゴーン社長なみの、自治体経営改革の革命児と賞賛された。

しかし、これは虚像であって、行財政改革で、卓抜した経営手腕を発揮したわけでない。ただ減量的予算編成を、マスメディアにのせただけである。反対勢力は時代劇の悪者にされ、橋下知事は、名奉行としてのイメージを、府民に焼き付けることに成功しただけである。このマスメディアの活用が、橋下知事の強みのすべてである。

第二に「権力志向性が強い」。知事就任当日に、府職員に対して、「みなさん方は、破産会社の従業員である。民間会社であれば職員・給与の半減、ボーナスゼロは当たり前」と訓示し、やる気のない府庁職員には退職してもらうなり、教員には分限処分も考えるとの、強権をちらつかせている。

しかし、大阪府の職員給与水準は、決して他府県と比較して高くはなく、全国府県では低いレベルにある。民間の破産会社との比較で、非難の対象とするのは合理的な方法でない。

またこのような対応は民主的でない。市町村や市民という社会的弱者に対しては脅迫に等しい。しかも権力を後楯にした説得は、架空の合意である。

要するに、自分に同調にしないものには強権の発動、政治的抹殺など、かなり強引な対応策も辞さないと恫喝している。制度・行財政改革において、十分な論議をつくすことなく、敵味方に区分して、政治的・行財政的圧力で、改革を突破する強引な手法である。

学力テストの市町村単位の公表について、反対する市町村への府予算の削減をちらつかせて、強引に公表をさせようとする。たしかに学力を公表し、市町村・学校に緊張感をもたすことは必要であるが、学力は当該市町村・学区の社会経済条件によって大きく左右される。どうするかは、府県が決めることではない。

中央政府への反抗は、いくらやっても相手は強大であり、大阪府の抵抗は、常に正当性が付与されるであろう。しかし、府知事の支配下におかれている市町村に対しては、その独自性に配慮した、慎重な対応がのぞましい。

第三に「仮想敵国をつくり攻撃対象」とする政治・行政手法である。「自分の考えや方針をじゃまされるのを極端に嫌う」（同前47頁）性向があり、つねに敵対する、抵抗勢力をつくりだし、自己の正当性を際立たせる手法である。理論・政策を戦わせるのでなく、心象的に攻撃の的を意図的に作りだしている。

かつて美濃部知事は〝ストップザ佐藤〟をかかげて、都知事選挙をたたかった。多少、都政の枠をはみだしたキャッチ・フレーズであるが、開発優先の保守政治を批判の対象としており、その責任者を攻撃の標的に選んだのである。

橋下知事の標的は、財政再建では、高すぎる給与を指摘し、職員組合をターゲットにしている。また地方制度では、二重行政を槍玉にあげ、大阪市を連携から敵対関係へと追いやった。どう考えても、その攻撃目標は的がはずれている。

大阪府財政を破綻させたのは、たしかに高い賃金も一因であるが、地域経営のミスであり、大阪経済を停滞させたのは、大阪市より大阪府であり、そのお粗末な行財政運営である。

既存システムの破壊を叫ぶが「言葉を弄び、事の本質をすり替える発言」（同前37頁）が多い。「複雑な問題に対して非常にシンプルな解決方法があると思い込んでいる」（同前189頁）と、発想の偏向性が指摘されている。

橋下知事が、攻撃のターゲットとするテーマは、必ず一般的に「歓迎される標的」である。対応は「データ分析の結果」ではない、「賛否両論がある難題」であるが、問題解決の勝算があるわけでない。蛮勇を奮って、猪突猛進をするだけである。

大阪都構想でも、停滞する府政・市政の脱皮という、現状打破で、人心を掌握できる。しかも二重行政の淘汰という、経費節減論争で、府民を幻惑できる。そのためにおこる、実現のための混乱、目的達成の費用効果は、問わない。

すなわち自己の政治勢力拡大、政治信条の追求が、すべてに優先する。地域主権・地方分権は、単なる形容詞であり、行財政課題との関係は、もともと厳密に検討していない。

たしかに大阪都構想をみると、大阪市を無能呼ばわりし、敵対者と名指しているが、その実現が、大阪経済の復権に、どれだけ寄与するかの、相関関係は曖昧である。大阪都構想が、自己の政治力で、容易に実現するかの、自信過剰に酔っている。

多くの府県知事は、〝怒りも興奮もなく〟（マックス・ウエーバー）、給与カットを、実施している。あたりまえのことをやっても、橋下知事がやれば、演出効果によって、マスコミは、その減量経営手腕を賛美し、報導することで、虚像をつくりだす、結果となる。

第四に、「極端な賛美・非難という、感性・感情的な言動」である。道州制推進をめざした、麻生総理のリーダシップを、絶賛しているが、麻生内閣の政治生命を考えると、道州制実現の牽引車とは、なりえないことは、歴然としていた。

反対に大阪都構想では、平松大阪市長を、個人攻撃し、府市協調路線を反故にし、絶縁状をたたきつけている。賛同する思想・組織・人物への信奉性が強く、一方で反対する思想・組織・人物への敵愾心は激しいという、両極端の性格が、露呈している。

昨今の減量経営への賛美と、裏腹に労働組合・箱物行政などへの、嫌悪感にみられるように、単細胞的な対応しかできない。しかし、このことは、政策・発想は、貧困であり、冷静で全体的な分析能力の欠如を立証している。

大阪都構想が、その典型的な事例である。二重行政にしても、実態のない仮設的概念であり、皮相的判断である。箱物がすべて二重行政というと、小中学校と、天王寺動物園・海遊館以外の、市立施設は、すべて廃止となる。

橋下知事の施策対応は、硬直的となりやすい。財政再建でみせた、減量経営方式である。財政再建は、たしかに緊急課題であるが、ハードランディングでやるか、ソフトランディングでやるかの、選択余地はあった。大阪府は、夕張市のような危篤状況にはないが、就任即日で、ハードライディング方式を、ぶち上げている。

切開手術をするにも、血液・心電図検査などをして、もっとも被害の少ない方法を、採用する配慮が、必要である。まして橋下知事は、どうみても地方財政の専門家とはいえない。

かつて自治省事務次官から、横浜市長になった、細道市長でも、就任早々、宅地開発要綱廃止を、言明したが、議会の猛反対にあい、撤回を余儀なくされている。一見すると、不合理な対応とみえるが、政策的には、開発利益の公的還元という、合理性をもっている。

当時、人口急増市の横浜市にとって、開発要綱は、交付税の減額対象にならない、貴重な財源であり、脱法行為といわれても、背に腹はかえられない事情があった。

しかも大阪府の財政危機の元凶は、開発事業の失敗であり、そのツケを考えれば、生活サービスに、厳しい減額措置は、とれないはずであるが、そこまでの憐憫の情はない。

現在までのところ、橋下知事は、財政再建でも、開発行政の見直し、利権行政の淘汰などで、自治体経営の卓抜した、手腕はみられない。悪評高い、公共デベロッパー事業、「水と緑の健康都市」

「彩都」「高速道路大和川線・淀川左岸線」、そして極め付けが、「関西國際空港」であるが、赤字べらしの秘策・奇策は、みられない。

橋下知事への評価は、かなり両極端な評価となる。「橋下府政どうみますか」（朝日・20・5・13）では、堺屋太一は「橋下知事の良さは、若くてしがらみがない。スピードがある。大阪が好きという3点。話がわかりやすく、政治や行政に対する知識があまり豊富でない点で、小泉元首相ににているると思う。橋下知事はタレントとしての人気があるだけではない。財政再建第一という政策で注目され、支持されている。………橋下改革では公務員がファイトを出す雰囲気をつくってほしい」（同前朝日）と評価している。

大阪府行財政の表面的現象だけをみて、すぐ思いつきで、発言する行動は、たしかに決断力にとむと映るが、施策として適切であるがどうか、疑問である。これまでの言動からみて、公務員には、崇拝者と敵対者が共存して、内部軋轢が、増幅されているのではないか。

本間正明は、予算編成の手腕を評価したが、「今のように橋下知事が全面に出てオールラウンドプレーヤーでスーパーマンのようにやっていくのは不可能だと思う。体制を強化しないと、裸の王様になる危険性がある」（同前・朝日新聞）と、やりすぎによる失敗を、憂慮している。しかし、橋下知事は、依然として全力疾走し、全面戦争を展開している。

小池俊二（大阪商工会議所副会頭）は、「今のところ、知事はマスコミに自分の考えと行動を極限まで公開している。公開することで、利害関係者の抵抗を排除することに成功している。………改革のためにはある程度の犠牲もやむを得ない。すべての要望を聞いていてはきりがない。………知事ので出だしはいい。………府民は知事の動きをみている。強い改革意欲を持続してほしい。府改革が成功すれば、市町村の改革へ波及するはずだ」（同前・朝日新聞）と、減量的改革に、大きな期待を寄せている。

しかし、橋下流の減量経営が、成功すれば、大阪府の経済・生活は、活気のない索漠とした状況になるであろう。財政再建は、財政収支の回復と経済・生活の復興の、バランスの問題である。即効的効果をねらっても、マクロの効果は、それほどではない。

たしかに就任当初は、コスト・カッターとして、順調な滑りだしだったが、本当に淘汰されるべき、制度の無駄・利権の浪費は、削減の対象から免れ、大阪府財政の深層に、隠れているのではないか。橋下知事の強権性は、一般的に警戒感を、抱かれるようになったが、活動意欲は、ますます盛んである。

3　橋下知事の財政手腕

政治手法にふれたので、財政運営手法にもふれる必要がある。ただ自治体の財政再建は民間企業の経営再建と異なり、財政指標が改善すればするほどよいという単純なものでない。

政府財政でも、子育手当を廃止すれば、財政収支は確実に改善するが、市民福祉も確実に目減りする。その費用効果分析の結果がどうかである。

大阪府の財政状況は改善しつつあるが、それが橋下知事の経営手腕によるのか、従来の財政運営のトレンドなのか、財政分析をしなければ未知数といえる。

第一に、大阪府の財政状況は悪いが、破産会社といわれる状況にない。まして夕張市のように、大鉈を振るう窮状にない。起債制限比率は、平成16年度一三・六から20年度六・六へと、毎年のように低下している。もっとも実質公債比率は、17年度一五・五から20年度一六・六へと、上昇している。

類似団体（京都府・神奈川・静岡・愛知・兵庫・福岡県）との比較でも、経常収支・人件費・物件費・扶助費・公債費・補助費比率をみても、従来から特に悪いことはない。

ではなぜ橋下知事は、就任当日、大阪府財政は破産会社と叫び、職員を恫喝したのか。これからの財政減量化を、有利にすすめる状況を作り出すためである。町村長ならいざしらず、大阪府知事が財政状況の分析でなく、感性で財政運営を有利にするというのは、その品性を疑がわれるであろう。

第二に、大阪府財政は、橋下知事の登場をまつまでもなく、財政再建軌道を走行中であった。誰が府知事になっても、スピードはともかく、方向はかわらなかったであろう。

実質的収支赤字額は、平成11年度約七九億円であったが、12年度は一気に約三九六億円に急増している。しかし、以後、財政再建で15年度約二八九億円、17年度一九七億円、19年度約一三億円に激減している。橋下知事の予算編成となった、20年度では約一〇四億円以上の黒字となった。財政収支だけみれば、画期的な黒字転換となり、橋下知事の減量経営手腕の成果が、きわだつ。しかし、大阪府財政は、平成13年度から回復トレンドにあり、橋下知事の20年度財政実績はとくに大きいとはいえない。

基金残高は平成19年度一兆二七億円、20年度一兆五〇六億円と増加したが、21年度九三六一億円減少している。府債残高は、19年度四兆三三五四億円、20年度四兆三九八六億円、一・五％増加し、ストック会計は悪化している。

意地の悪い見方をすれば、大阪府財政は回復・改善基調にあり、橋下知事はたまたまその時点にいた幸運児といえる。にもかかわらず絶賛を博したのは、予算査定情報の公開化・テレビ化と、橋下知事の演出効果である。

もっとも普通会計収支、連結実質的収支、将来負担比率など、さらに分析をしなければ、実態は判明しない。さらに何を削減し、何を増額したか、実質的な費用効果分析をしなければならない。外部からの数値分析では、財政実態はつかめない。

第三に、財政再建をどう実施するかである。短期間で目標達成となると、ハード・ランディングとなり、長期間でやるとソフト・ランディングとなる。

就任当初の橋下知事の予算編成方針は、府改革プロジェクトチームの一一〇〇億円の歳出削減・歳入確保が大きな評価をうけている。事業費四〇〇億円、人事費三〇〇～四〇〇億円、府有財産売却など三〇〇～四〇〇億円である。

しかし、この案が原案どおり実施できたわけでなく、中期的ソフト・ランディングを余儀なくされている。大阪府財政は、依然として公共デベロッパーの「負の遺産」を、かかえたままである。大阪府財政は、大阪経済の低迷、ストックの枯渇からみれば、長期方式では財政健全化団体となりかねない。どうしても中期的対応を選択せざるをえない。

財政再建は短期でも最適選択といえない。たとえば人件費をみても、退職者が多いと退職金支払が多くなり、新規職員不補充でも、財源収支は一気には改善しない。箱物施設廃止でも、民間売却がすすまず、移転費用の新規負担、さらに新施設の増設など正味の予算減額とはならない。

ミクロでみれば、個別事業の廃止・統合などが即効的効果を発揮し、一般的にわかりやすいが、財政再建は、そのような減額措置だけで、達成できる生易しい仕事ではない。

マクロの視点から、開発プロジェクトの見直し、債権・債務・資産の効率的運用、銀行団への債権放棄、高利債の借り換えなど、企業経営なみの自治体経営をどれだけやれるかである。さらにいうならば、利権行政の無駄に、どこまでメスがいれられるか、施策選択における政策感覚をどれだけ高められるかである。

大阪府財政のストックもふくめて、実際、どれだけの債務負担があり、ふくみ資産があるのか、将来、経済動向で、どうなるのかである。府有地の評価、不良貸付金、外郭団体の収支動向を、綿密に分析することが前提条件である。政府系公団への出資金などは、資産勘定になっているが、永久に返済のない不良資産の最たるものである。

橋下知事は、無謀な公共デベロッパー事業に着手し、巨額の事業損失をだした、これまでの知事・幹部職員に、退職金の一部返還を求めている。たしかに正論であり府民感情をくすぐるが、財政再建への寄与は小さい。

第四に、財政再建における重要な政策選択は、結局、無駄な支出、費用効果の低い投資・給付を削減し、投資・サービス効果の大きい施策に、組み替える事務事業の再編成である。

すなわち予算額は減少したが、経済福祉効果は増加したという、事務事業の再編成ができるかである。福祉・文化・環境といった事務事業も、財政再建からは聖域ではないが、事業廃止・予算削減の損失効果と財源改善効果との比較である。

効果比較は、きわめて困難であるが常識的判断となる。ただマスコミで大きく報導された「國際児童文学館」「上方演芸資料館」などの廃止・移設は、フローの財源収支しか考えない予算編成で、文化がもつスットクの効果を算入すれば、削減の費用効果分析は赤字である。

管理費がコスト高であるならば、削減すればよいが、施設そのものまで廃止すれば、大阪は文化不毛の地となり、長期的には税収減につながる。予算編成という官僚の作業にも、公経済的評価が問われるのである。

政策的に誤った予算編成をなせば、財政再建には成功したが、地域経済・市民生活は衰退した結果になりかねない。削減技術としては、5～10％カットを辛抱強くつづけ、一方で効果の高い施策への財源の傾斜配分をするしか選択肢はない。

第五に、財政収支の分析は、情報公開を完全し、近年の財政健全化法を適用しても、粉飾・逆粉飾を摘出することはむずかしい。また財政当局の財政収支操作を、違法・不当・適正と判断することも容易でない。

橋下知事の財政運営手法の評価を高めたのは、新聞報導に呼応して「減債基金」からの借入廃止、「借換債」の発行禁止をうちだし、これらの措置を違法・禁じ手として強く非難し、「収支の範囲内で予算を組む」と健全財政運営を強くアピールした。

「減債基金借入」「借換債発行」による、赤字の繰り延べは違法ではないが、決して誉められた措置ではない。しかし、赤字再建団体に転落しないための、苦渋の選択であった。

橋下知事は、予算の範囲内で組むと宣言したが、財源補填債・退職者手当債の発行、さらに基金繰入金は、新規は中止したが残高は20年度六六八一億円もある。借入金は不適切な赤字隠して、即刻返済すべきだが実際はできない。

結局、ソフト・ランディング方式へと、変質・移行しつつある。当初のハード・ランディングの犠牲となった、「國際児童文学館」などは、貧乏くじをひかされたことになる。開発プロジェクトの赤字補填などをみると、後味の悪い予算編成である。

そこには公共経済にもとづく費用効果分析を、駆使した政策科学の卓抜した予算査定の冴えがみられない。また自治体経営としての経営資源の活用としての収益性の追求もない。

4　橋下知事の行政方式

政治・財政手法をふれた以上、橋下知事の行政手法にもふれざるをえないが、行政手法は今、一つはっきりしない。

ただ強いてあげれば、権力志向性が強く、知事権限の制限・限界に関係なく、知事は発言し介入・改革の意欲をしめしている。

府県知事の権限を府県行政で制約している分野をみると、第一に、警察行政である。幹部警察職員は国家公務員で知事の人事権外にある。また警察捜査などにはもちろん関与できない。

ただ知事は、人員・予算措置をつうじて間接的に影響力を及すことができる。宮城県では、捜査費などの情報公開をめぐって、知事と警察本部長との対立関係に発展したが未解決のままである。

警察行政は、公安委員会があり、知事介入に対する一応の防波堤が配備されているが、何よりも捜査権をもっており、知事部局には無言に威圧であり、対抗できる十分な防御装置が、完備されている。

第二に、教育行政である。警察ほどではないが、知事から独立した教育委員会が、制度的には教育行政の最高執行機関である。知事は予算をつうじて関与できるが、教育行政方針・教員人事権は教育委員会の権限である。

橋下知事は、〝クソ教育委員会〟の暴言で、物議をかもしたが、知事の権限が及ばないことへのいらだちである。

それでも橋下知事は、諦めず「府教育委員会との懇談の中で、毎月定例の府教委員会会議に知事も出席できるよう会議規則を改正してほしい」（朝日新聞、6月24日）と、要求している。しかし、教育委員会サイドは「慎重に検討する」と回答を留保している。

橋下知事は、さきの懇談で、「政治による教育行政のチェックがないのが現行制度の弊害。成熟した民主主義国家で、政治家が好き勝手に権力崇拝教育をやることはない」（朝日新聞、6月24日）と、短絡的な意向をのべている。しかし、常識的に知事が、教育行政に関与すれば、いらざる紛糾を、引きおこしかねない。

第三に、府下市町村である。ことに大阪市は、難物で容易なことでは、府に服従しない。橋下知事は、府補助金の冷遇措置で、圧迫をくわえたりしたが、とうとう痺れをきらして、大阪都構想を、ぶつけていった。全面戦争の様相を呈している。

「大阪維新の会」は、橋下知事の別働隊として、今後、大阪府下、全域で府知事の政治力の浸透によって、大阪府の市町村統治体制の定着を形成していくので、府下の都市も、大阪市問題を、対岸の火事とみなしていれば、大火傷をみるであろう。

ただ橋下知事の行政手法でも、困惑するのは、集権と分権、強権と懐柔が、同居していることである。その卑近な事例が、公立小中学校教員の人事権を、府から市町村へ移譲したいとの、意向をい。

示したことである。

これまでの橋下知事の市町村教育行政への姿勢からみると、人事権の移譲は、府知事の支配権の喪失につながり、信じられない決定である。例によって、知事特有の撹乱戦法で、あるかも知れない。

ともあれ現行制度では、小中学校を設置・運営し、教員を監督するにのは、市町村教育委員会であるが、財源負担と人事権は、府県がもつという〝ねじれ現象〟になっている。すなわち「小中学校の教育は、責任の所在がはっきりしない」状況にある。

橋下知事は、「この悪影響が全国学力調査の成績低迷の一因」（朝日新聞、6・20）とみている。それでも人事権の移譲は、財源問題を抜きにしてみれば、地方自治権拡充であり、評価すべき行政改革であり、二重行政の解消にもつながる。

大阪府は、すでに文部科学省に要請し、今年4月に了承されている。ただ移譲先は、「人口30万～50万人が適正」としている。すでに豊中・東大阪市など、22市町村からなる4地域で、移譲受入の動きがある。保健所事務の移管と、おなじ事務事業移譲である。

ただ知事特有の政治的ポーズか、本気で実施をする意向があるのかわからない。深読みすれば、地方分権の旗手として、一部の分権論者からは評価されることは間違ない。また大阪都構想の実現のため、周辺市町村に恩をうり、指定都市とその他市町村を分断する効果を、狙っているのではないかの疑心暗鬼に襲われる。

さらに知事は政治環境が、成熟した段階で、人事権が移行すれば、府負担の教員人件費の一部を、市町村への転嫁を目論み、府負担のいくらかでも、減額したいという意図が秘められているかも知れない。

5　橋下改革の総括評価

橋下知事の大阪都構想は、地方政治からみてきわめて独断的対応である。政党組織をたちあげ自分の息のかかった首長・議員を、当該自治体に送り込み、政治的目的を達成しようとする戦略である。

ただ府県知事が政党を結成し、府議会のみでなく、府下の市町村議会まで多数化工作をし、さらに市町村の首長まで、府知事が息のかかった府職員を送り込むという政治活動は、一般的に常軌を逸している。

しかし、違法でなく、地方行政に政党は不必要とするのは、官僚政治の言い草であって、地方行政が政党色を帯びることは、法律的にはなんら問題はない。

日本の地方政治で、政党色が色濃く反映した時期は、大正から昭和にかけての政党政治の時代と、戦後の革新自治体の時代である。もっとも戦後、地方議会も、中央政党の系列で、政党色はあるが、本来の政党対立を、地方政治に持ち込んだ、本格的な政党政治の状況ではない。

橋下知事を党首とする「大阪維新の会」は、戦前の政友会・民政党の政党政治と、戦後の革新自治体の政党政治とどう異なるのであろか。

第一に、知事という権力者が、政党色を強く帯びてくると、日常の行財政運営において、行政の中立性が脅かされる恐れがある。

戦前の政党政治では、官選知事そのものが、猟官運動の対象となり、地方行政がそっくりそのまま、利権誘導型政治の餌食となった。「大阪維新の会」は政策政党であり、利権誘導型の兆しはないが、府への陳情・要望などによる許認可・予算措置で、与党への利益誘導がみられる危惧が、まったくないとはいえない。

第二に、理念・政策はきわめて乏しい。かつて革新自治体を誕生させていった、革新市長会も、地方政治に政党色を持ち込むなと批判された。

革新自治体は、高度成長期の経済地域政策への対立ビジョンを明確にして、事実上、保守政治に反対する市民主権をかかげて、既存の政治・行政・社会勢力との対決を鮮明にしていった。シビルミニマムの思想を武器に、開発優先の政府施策を転換させた功績は、歴史的には不滅である。

しかし、「大阪維新の会」の綱領は、大阪府の経済再生、大阪都構想による、府集権体制の形成などで、地域政党を立ち上げるまでもなく、府知事の政策形成で処理できる課題に過ぎない。公党に値するだけの理念・政策が欠落している。

第三に、民意の吸収という、システムは未成熟のままで、マスコミの宣伝力を背景にして、政治的優位を構築していく戦略である。さきの大阪府知事選挙でも、知名度の差で、橋下知事は圧勝している。政策内容・行財政手腕は、とわれないままである。

小泉劇場型政治と同類で、郵政民営化という単一課題（シングル・イッシュー）を課題として、展開したように、大阪都構想を争点して、来る統一選挙をたたかうつもりである。政策内容の貧困を露呈することなく感性だけの選挙となり、有利な政治状況をつくりだせる。

第四に、政党としては、橋下知事の個人キャラクターへの依存が強い、個人的政党という色彩が、政治行動に濃厚に反映している。

このようにみてくると、「大阪維新の会」は、大阪都構想実現のための政党ともいえるが、大阪都構想提唱は、制度実現より地方選挙における政治的結束を、図っていくための便宜的手段とされているのではないか。

橋下知事の政治勢力拡大では、公党というより、私党とみなされる。なんらかの政策テーゼとして、大阪都構想を看板にしたのではないか。「大阪維新の会」の活動方針には、大阪経済の復権が力説されているが、地域主権構築は、影がうすく具体的内容はない。

大阪都構想は、ともかくとして、憂慮されるのは橋下知事の行政・政治手法である。いまから思えば、大阪市のＷＴＣを買収する意向を示し、大阪市財政の救世主として、みずからをクローズアップさせた。

同時に大阪市の放漫財政・経営能力欠如を、ひろく大阪市民に知らしめる、心憎いまでの演出効果を狙った対応では、なかったのかと邪推できる。

橋下知事の手法は、府知事という強大な権限・財源・政治力をバックに、自己の方針に反対する市町村をねじ伏せる方法である。政令指定都市である堺市すら、政治的に橋下知事の行財政方針には反対できない状況は、異常事態である。

橋下知事の行財政の攻勢、「大阪維新の会」の政治的侵食に対して、大阪府下の行政関係者は、どう対応すべきであろうか。

第一に、大阪都構想は、多くの市町村の廃止・統合・分割をともなっている。これは自治体の存続・消滅は、当該自治体の自決権の問題であり、政府であっても決定する権限はない。

市町村合併をみればよくわかる。いわば個人の基本的人権と同類である。政治勢力を駆使してまで実現をめざすとなると、おそらく大阪府・市の泥沼状況に陥るであろう。そして大阪の経済復興も遠のくであろう。

大阪都構想にしても、橋下知事が、おもうほどすぐれた制度でないばかりでなく、時代錯誤の後ろむきの制度である。なぜなら都制そのものが、権限・財源・事業を、基礎的自治体から中間行機関の吸い上げる、地方自治の基本原則に逆行する、制度であるからである。

大阪府が、大阪市の財源をも手中におさめれば、多くの事業をできるとの期待をいだくが、実際は生活保護費をみてもわかるように、地域開発・基盤整備に割かれる財源は、ほとんどないであろう。

東京都は、都・区の間に混乱があっても、東京一極集中の経済メカニズムによって、東京都の発展は揺るぎない成長軌道にある。しかし、低迷する大阪経済は、行政的混乱で、経済低迷にさらに拍車をかけることになる。

第二に、「大阪維新の会」の経済振興策は、高度成長期の遺物を踏襲しただけであり、成功の可能性はきわめて小さい。はなやかなアドバルーンをあげているが、いまさらアジアの拠点都市でもあるまい。かつて大阪は、東京に対抗して日本列島「二眼レフ構想」をあげたが、相手にもされなかった。

地域経済戦略において、経済構造のハンディは、いかに努力しても克服することは不可能である。東京一極集中は、産業構造の第三次産業化であり阻止はできない。もっとも部分的成功はあっても大勢はくつがえらない。

この厳しい現実をふまえて、東京とは異質の経済振興策をうちだすことである。漫画・アニメ・お笑い産業など、大阪文化にねづいた文化の産業化である。また特定産業への特化である。

東大阪市に巨額の技術振興基金を創設し、地場産業育成に財源を、傾斜配分する戦略を採用すべきである。公共投資より基金による地域経済の振興である。産業基盤整備より、即戦力となり、失敗しても被害は小さい。

企業進出に対する誘致補助は、今日の大阪経済・堺埋立地の利用という点からは、許される給付である。すなわち失敗のない措置であり、イギリスでは政府の工場誘致・分散の基本戦略である。

大阪府は、堺埋立地への企業誘致には成功したが、橋下知事は、交通アクセスの建設には府幹部を、市長にしてまでして建設反対を実現させている。さまざまの問題があるが、企業サイドとしては、大阪府の政策への不信感が強まったであろう。「大阪維新の会」のインフラ整備は、どこのどんなインフラ整備か五里霧中のままである。

第三に、橋下知事がなすことは、大阪府を徹底的に自治的団体に変革し、自治体として真価を発揮することである。破綻寸前の財政状況、低迷する大阪経済など問題山積であり、大阪都構想は、府庁の内部問題を外部に転換する方式である。政府が、国民の関心を、内政問題から外交問題にそらす方式に類似している。

大阪都構想が実現しても、内政問題は解決していない。ぼったくりバーの請求書問題で、一躍、時代の寵児となった。しかし、中央政府の大阪府支配は、政府直轄事業負担金だけでない。行財政許認可権・天下り官僚の問題など多くの課題があり、大阪府改革は地方自治の視点からみて、未解決の問題は山積している。

橋下府政には、美濃部都政にみられたような地方自治への理念・自治体改革の戦略が、欠如している。大阪府をどうしようとしているのか、依然として明確でない。

財政再建という、緊急課題が克服したいのであれば、本腰をいれて改革ビジョンをえがき、どうしても大阪府財政再建の癌が、大阪市であるならば、その理由をかかげて、大阪都構想の実現をめざすべきである。しかし、精査し分析すればするほど、大阪経済低迷・大阪府財政悪化の要素は、府内部の政策形成・実施の不味さにあることが解明されるであろう。

矮小化された減量経営を、身上としているようでは、減量経営で財政収支は好転しても、公経済的にはあまり評価できない。

また政治行動から、推測すると、橋下独裁体制をめざしていると、邪推したくなるが、かつての京都府蜷川府政は、反中央政府・生活重視で評価できるが、京都府政を長期にわたり、閉塞させた弊害は無視できない。

それでも京都府経済が沈滞しなかったのは、京都市という指定都市が、京都市南部の工業地帯にハイテク産業の誘致・拡充に努めたからである。信じられないが、京都市南部は近畿圏整備法で、大阪・神戸市の中心区とともに、工場立地制限地区に指定された工業集積地であり、蜷川府政の圧力も、京都市にまでには及ぼせなかった。

大阪経済の振興は、大阪都を創設しなければ推進できない課題ではない。即刻実施するには、都制は、むしろ障害となるだけである。

従来、敵対勢力を、府労働組合とか府議会など内部に求めていたが、とうとう外部の大阪市にまで触手をのばしてきた。大阪市は府市協調など、のん気なことをいっている状況ではない。

確実にいえることは、このまま府市紛争が、激化し長期化すれば、大阪経済は沈滞し陥没していくだけである。大阪市は大阪府の脅威に対抗するため、正当防衛として、政策科学にをもとづく調査分析を連続的に発表し、平松市長のマスコミ露出度を高めて、大阪市民に訴えていくしかない。

補論

平成23年11月27日のダブル選挙は、「大阪維新の会」の圧勝におわり、大阪府市ともに、「大阪維新の会」が、首長を獲得した。大阪府議会では、単独で過半数を制しており、大阪・堺市議会でも、第1党であり、橋下市長になったので、実質的には、大阪市も政治的に大阪維新の会に、牛耳られたといえる。

ここでは大阪都構想について、ダブル選挙後の課題を整理してみる。橋下市長の論法では、〝民意〟をえたので、大阪都構想は、「論議より制度設計に入る」、反対する勢力は、すべて粉砕していく勢いである。

しかし、その民意は、現在の中央政治・経済不況の閉塞を、橋下市長の行動力・突破力に期待しただけ、大阪都構想の実現を、白紙委任したのではない。

現在の民主党政権も、国民の絶対的多数の民意をえて、誕生したが、消費税などの政策にまで賛成したのでない。自民党の利権型政治に愛想をつかした、国民が〝政権交代〟という四文字に、願いをたくしただけである。

現に大阪都構想も、共同通信が実施したアンケート（神戸11・11・20）では、大阪市内では、賛成46％、反対41％で拮抗している。しかも69％が、内容説明不十分と、回答している。

大阪都構想について、選挙民・マスコミも、大阪都構想の内容は、しらないままであり、〝民意〟などはなきに等しい。橋下市長は、〝民意〟という、ご宣託があったから、反対論は論外という理屈で、一事が万事で処理しようとしている。

大阪都構想については、結論ありきの姿勢で、委員会で検討し、住民投票にかけるというが、委員の構成・委員での審議、さらに情報・資料の公開性など、どこまで政治的行政的中立性が、保持されるか疑がわしい。

第1に、橋下市長は、地方制度の将来は、道州制をめざすべきとしているが、大阪府が消滅するならば、府市対立問題はなくなり、むしろ政令指定都市大阪市の拡大をめざすべきである。

さらに大阪都構想に潜む、府県主権主義の弊害に、多くの市民は気付いていない。大阪都構想は、大阪府による大阪市の吸収であり、府市合体でも、府市統合でもない、単なる大阪市の解体である。

橋下市長は、「大阪市を消滅させるのでなく、大阪市役所を解体すると」提唱しているが、一種の催眠論法であり、大阪市役所を解体すれば、大阪市の存続はありえない。「大阪市をバラバラにはしない。色とりどりの24区をつくる」（朝日11・11・26）、「大阪市役所から権限と財源をむしり取り、市民に返す運動をするには、独裁者といわれるくらいの政治的な力が必要だ」（朝日11・11・6）

などの、レトリックは、随所にみられる。

大阪市の権限・財源・事務を、市民に還元するのでなく、大阪都が剥奪するのである。「大阪市は大きすぎるので、特別区に解体すれば、市民参加がすすみ、無駄な投資がなくなる」というが、都市規模が小さくなれば、市民参加がすすみ、行政の経営センスが向上するものでない。

大阪市が、大きいのでなく、大阪府が小さすぎることを、棚上げして、広域行政の一元化を提唱している。府県・都が、より多くの財源・権限を保有し、市町村の補助金・許認可権でもって、行財政的に統制するだけでなく、府県職員が市町村に天下りして、市町村を内部からも統制する、府県集権主義の行政システムの淘汰こそ、大阪都構想より、優先されるべき課題である。

現に大阪府でも、多くの市で、大阪府の幹部職員が、市長の座を射止めているが、地方自治のあるべき姿からみて、異様な光景である。「大阪維新の会」の首長をくわえると、市町村自治の危機である。

まして現在の大阪府では、市町村は、「大阪維新の会」の鼻息をうかがい、市町村は閉塞状況にある。橋下市長に代表される、劇場型首長の危険性は、「政治・政策的課題を単純化、劇的にして、問題の正しい解決に到達しない恐れがある」「一般の人々の支持が高いために、敵に設定されるのを恐れたりして、首長の打ち出す政策・施策を批判しにくい状況が生じる」（有馬晋作『劇場型首長の戦略と功罪』ミネルヴァ書房、200～202頁）と、危惧されている。

大阪都構想の核心は、府県と大都市の関係であるが、第1に、石原東京都知事は、「政令指定都市そのものの存在がおかしい」（朝日11・11・15）、橋下氏は、「知事になってみたら（府市間の）矛盾というか、いらだちがだんだん募ってきた」（朝日11・11・15）とのべている。

しかし、これはお互い様で、指定都市サイドからすれば、都市計画事業などで、どうして府県の認可が必要なのか、市域内の投資のすくない府県が、法人収益課税分を、はるかに多く徴収するのかという憤懣がある。

ただ知事は、市長に遠慮なく、不満をぶちまけられるが、市町村長サイドは、府県の報復をおそれて、沈黙を守っているだけである。マスコミは、府県知事の意見のみを鵜呑みしているが、地方制度としては、府県制度・府県政の欠陥のほうがはるかに多い。

実際、明治以来、府県合併すらないが、広域行政ということ自体が、時代錯誤ではないか。狭い大阪府で、どんな広域行政があるのか。精々、時代おくれのインフラ整備であるが、市民は保育所増設という、切実な要求すら充足されていない、府県は市町村への補助を強化すべきである。

第2に、大阪都構想の争点は、大阪市を解体して、二重行政を淘汰して、広域行政を一元化する。24区ある区制を再編成し、8～9区にする案である。

大阪都構想は、二重行政を、盛んに攻撃するが、府市施設があるだけで、二重行政はどこにもない。橋下市長の言動からも、政策決定の二重構造がみられるだけで、大阪市は広域行政に口も手もだすなというが、ただ大阪市は、大阪府の広域行政に、文句をつけた覚えはない。大阪府は、勝手に臨空タウンを造成し、赤字に苦しんでいるだけである。

最近、大阪港と堺港の経営統合を広域行政としているが、外貿港の大阪港と工業港の堺港の統合で、どんなメリットがあるのであろうか。

大阪府・市の水道統合も、供給能力が過剰であり、施設の無駄が指摘されているが、それこそ50年に一度の渇水に備えて、余裕をもつべきである。目先の利益だけで、公共施設をいじくるのは、素人の生兵法である。

第3は、大阪市の分割・区制再編成である。平松前市長は、「大阪市をバラバラにするな」と反対し、橋下市長は、「大阪市は260万人で大きすぎる」と批判し、「特別区で市民参加をすすめ生活行政を充実させる」と提唱している。

大阪市存続・特別区創設のメリット・デメリットは、具体的に検討されていない。マスコミの見出しは、「再編論議・乏しい判断材料」である。市民ニーズを汲み上げるなら、24区方式がベストであるが、生活行政の行財政能力からは8区再編成である。しかし、生活行政総合化をめざすならば、行政区方式の大阪市存続が、ベストである。

都構想について、府県知事は、権限・財源がふえ、面倒な事務は、特別区に押し付けることができるので、反対する理由もない。

しかし、指定都市サイドは、門川大作京都市長は、「歴史的な経過がある都市を人工的に分割するのは無理がある」(11・11・15朝日)と疑問を呈している。また松井一実・広島市長は、「市民がより良い行政サービスを受けるには、住民に身近で総合行政が可能な基礎的自治体に権限を集約すべきだ」（朝日11・11・15）と、市町村自治の視点から、都構想を批判している。

片山義博・前総務大臣は、「現在の大阪市域の一体的な意見や利害を代弁する人がいなくなる。知事は………大都市だけのことは考えてくれません。歴史と伝統の中で培われた大都市の個性や一体感をどう守るのでしょう。………都構想では、………補完する側がコントロールしやすいように自治体を粒ぞろいにする意図がいささか見える。地方分権、地域主権の理念とは逆の発想です」（片山義博、朝日11・11・15）と、疑問をていしている。

大阪市の財源をうばって、大阪府が、郊外にカジノや、テーマパークをつくられ、武家の商法の赤字だけを、特別区に補助金カットで転嫁されては、大阪市民は、踏んだり蹴ったりである。

第4に、特別区方式で、市民参加や生活行政が、充実するのかである。観念論では、特別区長は、住民にちかいだけに、身近な行政が期待できる。しかし、財源・権限がなければ、身近な行政どころか、生活保護・健康保険・介護サービスなどの基礎的行政すらできない。

特別区になると、防災でも訓練・避難ビルの指定はできても、防潮堤かさ上げ、広域緑地公園といった、防災建設事業は、都に陳情しなければならない。権限・財源・事業が、身近な区から、遠い都へ移管されると、その不合理性を嘆いても、後の祭りである。

区再編成論では、大阪市が果たしていた、総合行政のメリットが欠落するという、デメリットには気付いていない。

特別区方式では、大阪市が調整してきた、財源調整は崩壊し、財政力格差が発生し、特別区で統一行政をしようとすれば、貧困区に基準をあわせるので、健康保険料の値上げ、生活保護支給の締め付け、介護保険サービスの間引きが、行われることになる。

さらに区庁舎建設・区議会設置・行政コンピュータ配置など、各区で大阪市なみの行政装置が必要となる。さらに生活行政を充実するには、日本行政の積弊である、〝ワンセット主義〟で、区民ホール・病院・図書館・中小企業融資など、箱物行政がさかんとなり、二重行政でなく、十重行政がはびこることになる。

一旦、組織をつくれば、組織の自己増殖は、食い止められない。この弊害は、大都市より小規模町村の法が、ひどいのである。大事なのは組織形態でなく、大阪市という生きた経済・社会的活動体を、どうマネジメントするかである。

第5に、東京都制をふくめて、都制のアキレス腱は、特別区という変則的奇形的公共団体をつくることである。なぜ特別区でなく、市制を採用しないのかである。大阪市の試算では、富裕区で約2千億円の歩留まり発生し、貧困特別区の財源不足は、交付税で補填される。

この市制分割方式が、採用できないのは、都の特別区への支配権を、温存するための、自己利益保存という、府県のエゴである。市民参加や生活行政を謳うならば、当然、分市方式を導入すべきである。

要するに大阪府の、大阪府による、大阪府のための、大阪都制のため、大阪市民は、いらざる犠牲を強いられるだけである。さらに大阪都方式は、筆者の試算では、大阪府・市方式より、年間

1750億円の行政費の増加になる。ちまちました経費削減の効果などは、一瞬にして吹っ飛ぶ。(高寄昇三『大阪市存続・大阪都粉砕の戦略』公人の友社、77～79頁参照)

都構想は、大阪市のもつ権限・財源・事業を、都という府県への吸収であることは、まぎれもない事実である。府県は補完行政に徹するべきである。関西広域連合は、政府地方出先機関の事業委譲を求めている。

しかし、参加府県のほとんどが、同時に都構想に賛意をしめしているが、論理的に矛盾しているのではないか。政府から権限・財源・事務は奪う、しかし、大都市からも権限・財源・事業を吸収するという、姿勢は府県集権主義との誇りを、免れないであろう。

大阪都構想も、突きつめて考えれば、指定都市廃止であり、穿った見方をすれば、橋下氏が「政令指定都市が、基礎自治体としては持ちすぎている権限と財源を、もう一度広域自治体として整理しなおすことが都構想の本質」(大阪府議会だより152号)と答弁してのが、本音である。

危惧されるのは、「大阪維新の会」などの、皮相的な市場至上主義である、地下鉄の売却をはじめ、日ごろから「大阪市は大阪市内の土地を4分の1保有している。不要不急の資産を売却する」と主張してきた。

具体的には柴島浄水場の跡地を売却し、有効活用を図っていく考えであるが、財政再建団体ならともかく、土地売却はすべきない。防災緑地など公的利用の道はいくらでもある。売却して浮き金をつくるという、民間コンサルの短絡的発想では、都市経営の効率化などはできない。

さらに致命的な欠陥は、地方自治体として、中二階の府県・都は、市町村にくらべて、制度的体質的に、住民ニュースへの感覚が、鈍感である。自治体は、本来、生活財政サービスを、使命とする団体であり、そこに可能最大限の権限・財源・事務を委譲すべきである。

大阪都構想に反対する、大阪市サイドの心理は、昭和元年（1926年）の大阪市土木・都市計画費は、3千752万円であり、大阪府の土木費はわずか205万円に過ぎない。関東大震災復興費の配分は、政府3・24億円、東京市3・43億円、東京府0・22億円であった。明治以来、府県は大都市のためなんらの貢献もなかった。大都市が百年余をかけて蓄積した資産・技術・人材を奪おうとしているのである。

このような極端な事例は、なくなったが、それも府県の大都市冷遇策は、体質的なもので、橋下市長が府知事として、府補助金の大阪・堺市への支給にスップをかける、露骨な差別政策を遂行してきた。

東京都23区とその他市町村の人口比は、80対20であるが、大阪府の大阪市とその他の比率は、30対70、大阪市の財源が、周辺市町に散布される恐れは、東京都よりはるかに大きい。

大阪市が、都構想に反対した、深層心理は、このような府の大都市憎しの差別冷遇措置を、警戒したからである。大阪市を抹殺するための、市長として橋下市長は、君臨しており、歴史上かってない奇妙な構図である。

第6に、大阪都構想の詳細設計がすすむと、都構想の難問が浮上してくる。特別区には中核市なみの権限を、もたせるとしているが、制度的に不可能である。固定資産税の課税権とか、地方自治体として基本的な権限が、特別区には欠落しており、そもそも中核市といっても、町村に毛の生えたような事務が、付与されるだけで、主要な財源・権限が、ふえるわけでない。

大阪都は、事務配分では、大阪市が保有している、港湾・都市計画・市街地再開発・幹線道路・交通事業・水道事業・基幹的教育文化医療施設などを、都の事業とし、生活保護・介護保険・健康保険・保育所・小中学校など、基礎的サービスを特別区に配分することである。

広域行政と基礎的行政に区分しているが、視点をかえて生活行政からみれば、生活行政の分裂・分割である。市民にとって交通・水道などは、日常的には生活行政そのものであり、生活行政が、都・特別区に分断される不都合が発生する。

広域行政に特化された、大阪都は、大規模開発・経済優先政策へとのめりこむ、危険性はきわめて高い。大阪都構想は、創造的破壊とはいえない。大阪市長となった、橋下氏は、地下鉄の200円を190円にするとか、地下鉄の民営化とか、減量経営的発想しかない。

かって革新自治体がかかげた、課税自主権の活用による、シビルミニマ理念にもとづく、生活福祉の創造という、高邁な改革思想は、感じられない。みえてくるのは、デベロッパー的開発であり、しかも経営戦略的に成功は期待できない、壮大な浪費という、構図であり、貧困・災害から、大阪市民を死守する、気概は感じられない。既成政党・官僚打破という、現状破壊であり、建設的政策ビジョンはみえない。

第7に、大阪都は、財源配分では、大阪府の府税は、そっくりそのまま大阪都財源となる。そして東京都方式では、大阪市税（平成20年度決算）6708億円のうち、都市計画・事業所税など、800億円（約11・9％）は都税となり、個人市民税・市町村たばこ税など1668億円（約24・9％）は、区税となり、のこりの4240億円（63・2％）は、調整財源として、都・区で都1908億円（約28・4％）、特別区は交付金として2332億円（約34・8％）と、都45％、特別区55％で配分している。最終的には都税2708億円（40・3％）、特別区（58・7％）との配分となって、大阪府は丸儲けという、配分である。

問題は、この配分比率であり、大阪都構想では、都31％、特別区61％に、配分することを提唱している。大阪都が分担する、都市整備は、大阪市内は、ほとんど整備されている。これに反して、特別区が負担する、生活保護・介護保険・健康保険などの生活サービスは、これから成長性のきわめて旺盛な分野である。かりに都制発足当時は、妥当など配分としても、必ず特別区の財源は不足をきたすであろう。

さらの区財源調整交付金の配分基準は、大阪都が決定するので、地方交付税とことなり、係数操作は、それぞれの特別区財政に、モロに影響する。すなわち特別区は、補助金のみでなく、交付金においても、都の操作網の傘下に入ることになる。

東京都と比較して、「大阪は貧しいため、都側と特別自治区側で少ない財源を争い、特別自治区の財政がどんどん悪化する恐れもあります。特別自治区は都の内部団体のようになり、区長がいても、都や国の圧力に対して、住民が自主的に決定し実施する力も失われます」（森裕之・立命館大教授、朝日11・10・16）と憂慮されている。

橋下市長は、大阪府・市の百年戦争はすんだと宣言しているが、それは大阪都・特別区の百年戦争の始まりである。東京都の事例をみても、都という絶大な権力機構をもってしても、抑圧できない血みどろの抗争劇の幕開けである。

第8に、大阪都構想が現実化してくると、きわめて厄介な難問に直面するであろう。1つは、区割りである。従来の区割りは、行政区の区割りであり、なんらの実質的意味はない。しかし、特別区の区割りは、実質的には、分市となる区割りで、ことに区の財政力不均衡を考えると、生活サービスに確実に影響する。

このことはかって大阪市は、明治大正期、小学校の学区制で塗炭の苦しみを、市も住民も味わったのである。当時の学区は、特別区と同様に学区内の区税で、学校を運営していたので、富裕区は少ない負担率で、高水準の小学校行政をし、貧困区は、重い負担率で、低水準の小学校行政しかできなかった。

机上演習では、調整交付金で財政調整する仕組みになっているが、実際はそうではない。制度と運用は、別ものである。歳入は75％しか算入されないので、25％の歩留まりが発生するが、富裕区の歩留まりと、貧困区の歩留まりは、格段の差がある。

さらに財政需要でも、行政需要は、最低限の基礎費用しか算定されないが、貧困区ほど、余分の行政が発生する。生活保護行政でも、申請審査・生活指導など、めにみえない行政費がふくらむが、自己負担である。

債権・債務の配分も、厄介な問題である。大阪市が保有する、関西電力株は、戦前、関一市長が、収益主義との非難に耐えて、発電事業を拡大してきた遺産である。すなわち大阪市民が、高い電気料金を、支払ってきた成果物で、大阪市民の財産であり、大阪都の財産とするのは、理不尽な措置である。しかし、東京都は、東京電力株を保有しており、特別区は、資産的には丸裸である。

第9に、特別区にしても、特別区の権限・財源・事務だけでなく、都の行財政統制に対抗できるだけの、自治性はどれだけ保障されるかである。国・地方の政府間関係と同様に、都・特別区の政府間関係で、区長が都知事にどれだけ、自己主張ができるかである。

要するに公選区長は、大阪市長の消滅という、代替制度であり、8区の区長が、一致団結して、区の要求をかかげて、都と対等のテーブルにつけるかである。分割して統治する巧妙な都の支配のシステムである。地方行政を制度でみるより、運営、いいかえれば行財政力学・政治勢力の視点で、分析しなければならない。

指定都市の市長でも、府県には苦情すらいいにくい状況にあり、特別区長ではなおさらであろう。指定都市制度は、明治以来100年以上をかけて、歴代の市長が、苦心惨憺、府県支配の重圧に耐えて、獲得した権限・財源である。

現在の小学校教員の任免権にしても、明治以来、他の市町村は、教員給与を負担させられたていたが、人事権は府県に留保されていた。しかし、東京市をはじめとする六大都市は、教員人件費を負担する以上、人事権をもつのは、当然として人事権は、はなさなかった。

昭和15年改革で、小学校教員費の府県化が、町村救済のため実現したがが、六大都市は教員費を負担してもよいから、人事権を認めよと政府と交渉し、人事権をはなさなかった。

ちなみに府県は、小学校教員費を負担したが、分与税と下渡金で、１００％財源を補填してもらい、なんら財源的被害がない、府県優遇主義の現れである。昨今の指定都市の首長は、このような歴史的事実にうといのか、安易に都構想に賛成するが、困ったものである。

神戸新聞社の都構想へのアンケート（神戸11・11・19）は、「神戸市と兵庫県でも進めるべき」（31・1％）、「神戸市の権限を強化し県と同格に」（31・1％）、「いまのままでよい」（24・7％）、「わからない」（10・8％）、「その他」（2・2％）であり、賛否二分の状況にある。

都構想について、市民ははたして、神戸市が戦前の神戸市にもどり、生活福祉権限・保健所設置・都市計画決定権などなくて、基礎行政すら満足にできない状況に、逆戻りすることを、知って回答しているのであろうか。

第10に、橋下市長は、人件費削減・補助金廃止・外郭団体整理などで、減量経営をすすめるが、また区長・校長公募制で、人気の上昇中である。しかし、都市行政は、このような小手先の知恵で、処理できるものでない。

橋下市長の経営方針は、減量経営であり、市場メカニズムの導入である。卑近な事例が、大阪地下鉄の民間売却である。地下鉄事業は、平成22年度は１６４２億円収益、累積赤字なし、赤字の市営バスに30億円の繰出金をしている。企業債残高約６５００億円しかない。

民営化で料金値下げをするというが、地方団体に民営会社の料金値下げを、強制する権限はない。バスと地下鉄、採算路線と非採算路線性を、一体的に考えた、総合経営で、はじめて十分な交通サービスと実質的黒字となる。都市資産を切り売りしては、都市財政の死滅しかない。

河村名古屋市長は、今年になって、10％減税を７％減税案にして、市議会との妥協を図ってきたが、それすら否決されている。のこるはさらなる減税縮小か、議会解散か、市長辞職・再出馬かも、選択をせまられている。

政策的にみて減税は、ナンセンスである。２５０億円の減税財源で、保育所を建設運営すれば、補助金・交付税もあり、1千億円の保育所行政の充実が可能である。減税で企業誘致ができたという、成功話はない。政策的にみて市債が増え、福祉行政が目減りしただけである。

他山の石として、大阪市民は、冷静にまなぶべきである。都構想で、大阪市という伝統的歴史も、生活行政も、流されてしまっては、元も子もない。

堺市にいたっては、名前すら消滅しかねない。まさに堺市よ、君、死にたまうことなかれである。大阪都構想は、府県集権主義と市町村主権主義のたたかいであり、大阪都の実現は、地方自治の死滅ですらある。

《参考文献》

遠藤文夫「東京都分割論」『自治研究』第46巻第8号、1972年8月
高寄昇三『地方分権と大都市』勁草書房、1995年
江口克彦『地域主権型道州制』ＰＨＰ出版、2007年
一ノ宮美成『橋下「大阪改革」の正体』講談社、2008年
高寄昇三『政令指定都市がめざすもの』公人の友社、2009年
高寄昇三『虚構・大阪都構想への反論』公人の友社、2010年
高寄昇三『大阪市存続・大阪都粉砕の戦略』公人の友社、2011年
高寄昇三『翼賛議会型政治・地方民主主義への脅威』公人の友社、2011年

[著者略歴]
1934年　神戸市に生まれる。
1959年　京都大学法学部卒業。
1960年　神戸市役所にはいる。
1975年　「地方自治の財政学」にて「藤田賞」受賞。
1979年　「地方自治の経営」にて「経営科学文献賞」受賞。
1985年　神戸市退職。甲南大学教授。
2003年　姫路獨協大学教授。
2007年　退職。

[著書]
『市民自治と直接民主制』、『地方分権と補助金改革』『交付税の解体と再編成』、『自治体企業会計導入の戦略』、『自治体人件費の解剖』、『大正地方財政史上・下巻』『昭和地方財政史第１～２巻』、『虚構・大阪都構想への反論』、『大阪市存続・大阪都粉砕の戦略』、『翼賛議会型政治・地方民主主義』（以上、公人の友社）、『阪神大震災と自治体の対応』、『自治体の行政評価システム』、『地方自治の政策経営』、『自治体の行政評価導入の実際』、『自治体財政破綻か再生か』（以上、学陽書房）、『現代イギリスの地方財政』、『地方分権と大都市』、『現代イギリスの地方自治』、『地方自治の行政学』、『新・地方自治の財政学』、『明治地方財政史・Ⅰ～Ⅴ』（以上、勁草書房）、『高齢化社会と地方自治体』（日本評論社）、その他多数。

地方自治ジャーナルブックレット No.52
【増補版】大阪都構想と橋下政治の検証
—府県集権主義への批判—

2012年1月10日　初版発行　　定価（本体１２００円＋税）

著　者　　高寄　昇三
発行人　　武内　英晴
発行所　　公人の友社
〒112-0002　東京都文京区小石川５－２６－８
TEL 03-3811-5701　FAX 03-3811-5795
Eメール info@koujinnotomo.com
http://koujinnotomo.com/

「官治・集権」から
「自治・分権」へ

市民・自治体職員・研究者のための
自治・分権テキスト

《出版図書目録》
2012.1

公人の友社
112-0002　東京都文京区小石川５－26－８
TEL　03-3811-5701
FAX　03-3811-5795
メールアドレス　info@koujinnotomo.com

●ご注文はお近くの書店へ
小社の本は店頭にない場合でも、注文すると取り寄せてくれます。

書店さんに「公人の友社の『○○○○』をとりよせてください」とお申し込み下さい。５日おそくとも10日以内にお手元に届きます。

●直接ご注文の場合は
電話・ＦＡＸ・メールでお申し込み下さい。（送料は実費）
TEL　03-3811-5701　FAX　03-3811-5795
メールアドレス　info@koujinnotomo.com
（価格は、本体表示、消費税別）

地方自治ジャーナル ブックレット

No.3
使い捨ての熱帯林
熱帯雨林保護法律家リーグ　971円

No.4
自治体職員世直し志士論
村瀬誠　971円

No.8
市民的公共性と自治
今井照　1,166円［品切れ］

No.9
ボランティアを始める前に
佐野章二　777円

No.10
自治体職員の能力
自治体職員能力研究会　971円

No.11
パブリックアートは幸せか
山岡義典　1,166円

No.12
市民がになう自治体公務
パートタイム公務員論研究会
1,359円

No.13
行政改革を考える
山梨学院大学行政研究センター
1,166円

No.14
上流文化圏からの挑戦
山梨学院大学行政研究センター
1,166円

No.15
市民自治と直接民主制
高寄昇三　951円

No.16
議会と議員立法
上田章・五十嵐敬喜　1,600円

No.17
分権段階の自治体と政策法務
松下圭一他　1,456円

No.18
地方分権と補助金改革
高寄昇三　1,200円

No.19
分権化時代の広域行政
山梨学院大学行政研究センター
1,200円

No.20
あなたのまちの学級編成と地方分権
田嶋義介　1,200円

No.21
自治体も倒産する
加藤良重　1,000円

No.22
ボランティア活動の進展と自治体の役割
山梨学院大学行政研究センター
1,200円

No.23
新版・2時間で学べる「介護保険」
加藤良重　800円

No.24
男女平等社会の実現と自治体の役割
山梨学院大学行政研究センター
1,200円

No.25
市民がつくる東京の環境・公害条例
市民案をつくる会　1,000円

No.26
東京都の「外形標準課税」はなぜ正当なのか
青木宗明・神田誠司　1,000円

No.27
少子高齢化社会における福祉のあり方
山梨学院大学行政研究センター
1,200円

No.28
財政再建団体
橋本行史　1,000円［品切れ］

No.29
交付税の解体と再編成
高寄昇三　1,000円

No.30
町村議会の活性化
山梨学院大学行政研究センター
1,200円

No.31
地方分権と法定外税
外川伸一　800円

No.32
東京都銀行税判決と課税自主権
高寄昇三　1,000円

No.33
都市型社会と防衛論争
松下圭一　900円

No.34
中心市街地の活性化に向けて
山梨学院大学行政研究センター
1,200円

No.35
自治体企業会計導入の戦略
高寄昇三　1,100円

No.36
行政基本条例の理論と実際
神原勝・佐藤克廣・辻道雅宣
1,100円

No.37
市民文化と自治体文化戦略
松下圭一　800円

No.38
まちづくりの新たな潮流
山梨学院大学行政研究センター
1,200円

No.39
ディスカッション・三重の改革
中村征之・大森彌　1,200円

No.40
政務調査費
宮沢昭夫　1,200円

No.41
市民自治の制度開発の課題
山梨学院大学行政研究センター
1,100円

No.42
《改訂版》自治体破たん
・「夕張ショック」の本質
橋本行史　1,200円

No.43
分権改革と政治改革
～自分史として
西尾勝　1,200円

No.44
自治体人材育成の着眼点
浦野秀一・井澤壽美子・野田邦弘・西村浩・三関浩司・杉谷知也・坂口正治・田中富雄　1,200円

No.45
障害年金と人権
―代替的紛争解決制度と大学・専門集団の役割―
橋本宏子・森田明・湯浅和恵・池原毅和・青木久馬・澤静子・佐々木久美子　1,400円

No.46
地方財政健全化法で財政破綻は阻止できるか
夕張・篠山市の財政運営責任を追及する
高寄昇三　1,200円

No.47
地方政府と政策法務
市民・自治体職員のための基本テキスト
加藤良重　1,200円

No.48
政策財務と地方政府
市民・自治体職員のための基本テキスト
加藤良重　1,400円

No.49
政令指定都市がめざすもの
高寄昇三　1,400円

No.50
良心的裁判員拒否と責任ある参加
～市民社会の中の裁判員制度～
大城聡　1,000円

No.51
討議する議会
～自治のための議会学の構築をめざして～
江藤俊昭　1,200円

No.52
【増補版】大阪都構想と橋下政治の検証―府県集権主義への批判―
高寄昇三　1,200円

No.53
虚構・大阪都構想への反論
―橋下ポピュリズムと都市主権の対決―
高寄昇三　1,200円

No.54
大阪市存続・大阪都粉砕の戦略
―地方政治とポピュリズム―
高寄昇三　1,200円

No.55
「大阪都構想」を越えて
―問われる日本の民主主義と地方自治―
大阪自治体問題研究所・企画 1,200円

No.56
翼賛議会型政治・地方民主主義への脅威
―地域政党と地方マニフェスト―
高寄昇三　1,200円

No.57
なぜ自治体職員にきびしい法遵守が求められるのか
加藤良重　1,200円

朝日カルチャーセンター
地方自治講座ブックレット

No.1
自治体経営と政策評価
山本清　1,000円

No.2
ガバメント・ガバナンスと行政評価システム
星野芳昭　1,000円

No.4
政策法務は地方自治の柱づくり
辻山幸宣　1,000円

No.5
政策法務がゆく！
北村喜宣　1,000円

政策・法務基礎シリーズ
―東京都市町村職員研修所編

No.1
これだけは知っておきたい
自治立法の基礎
600円

No.2
これだけは知っておきたい
政策法務の基礎
800円

福島大学ブックレット
『21世紀の市民講座』

No.1
外国人労働者と地域社会の未来
桑原靖夫・香川孝三（著）
坂本恵（編著）　900円

No.2
自治体政策研究ノート
今井　照　900円

No.3
住民による「まちづくり」の作法
今西一男　1,000円

No.4
格差・貧困社会における市民の権利擁護
金子　勝　900円

No.5
法学の考え方・学び方
イェーリングにおける「秤」と「剣」
富田　哲　900円

No.6
今なぜ権利擁護か
―ネットワークの重要性―
高野範城・新村繁文　1,000円

No.7
小規模自治体の可能性を探る
保母武彦・菅野典雄・佐藤力・竹内是俊・松野光伸　1,000円

地域ガバナンスシステム・シリーズ
（龍谷大学地域人材・公共政策開発システム オープン・リサーチ・センター企画・編集）

No.1
地域人材を育てる自治体研修改革
土山希美枝 900円

No.2
公共政策教育と認証評価システム—日米の現状と課題—
坂本勝 編著 1,100円

No.3
暮らしに根ざした心地良いまち
野呂昭彦・逢坂誠二・関原剛・吉本哲郎・白石克孝・堀尾正靱
1,100円

No.4
持続可能な都市自治体づくりのためのガイドブック
「オルボー憲章」「オルボー誓約」翻訳所収 白石克孝・イクレイ日本事務所編 1,100円

No.5
英国における地域戦略パートナーシップの挑戦
白石克孝編・的場信敬監訳 900円

No.6
マーケットと地域をつなぐパートナーシップ
協会という連帯のしくみ
白石克孝編・園田正彦著 1,000円

No.7
政府・地方自治体と市民社会の戦略的連携
—英国コンパクトにみる先駆性—
的場信敬編著 1,000円

No.8
財政縮小時代の人材戦略
多治見モデル
大矢野修編著 1,400円

No.10
行政学修士教育と人材育成
—米中の現状と課題—
坂本勝著 1,100円

No.11
アメリカ公共政策大学院の認証評価システムと評価基準
—NASPAAのアクレディテーションの検証を通して—
早田幸政 1,200円

No.12
イギリスの資格履修制度
—資格を通しての公共人材育成—
小山善彦 1,000円

No.14
炭を使った農業と地域社会の再生
—市民が参加する地球温暖化対策—
井上芳恵編著 1,400円

No.15
対話と議論で〈つなぎ・ひきだす〉ファシリテート能力育成ハンドブック
土山希美枝・村田和代・深尾昌峰 1,200円

シリーズ「生存科学」
（東京農工大学生存科学研究拠点 企画・編集）

No.2
再生可能エネルギーで地域がかがやく
—地産地消型エネルギー技術—
秋澤淳・長坂研・堀尾正靱・小林久
1,100円

No.3
小水力発電を地域の力で
（独）科学技術振興機構 社会技術研究開発センター「地域に根ざした脱温暖化環境共生社会」研究領域 地域分散電源等導入タスクフォース
1,200円

No.4
地域の生存と社会的企業
—イギリスと日本との比較をとおして—
柏雅之・白石克孝・重藤さわ子
1,200円

No.5
地域の生存と農業知財
澁澤栄・福井隆・正林真之
1,000円

No.6
風の人・土の人
—地域の生存とNPO—
千賀裕太郎・白石克孝・柏雅之・福井隆・飯島博・曽根原久司・関原剛
1,400円

No.7
地域からエネルギーを引き出せ！
PEGASUSハンドブック
（環境エネルギー設計ツール）
堀尾正靱・白石克孝・重藤さわ子・定松功・土山希美枝 1,400円

No.8
地域分散エネルギーと「地域主体」の形成
—風・水・光エネルギー時代の主役を作る—
小林久・堀尾正靱編 1,400円

都市政策フォーラムブックレット
（首都大学東京・都市教養学部都市政策コース 企画）

No.1
「新しい公共」と新たな支え合いの創造へ—多摩市の挑戦—
首都大学東京・都市政策コース
900円

No.2
景観形成とまちづくり
—「国立市」を事例として—
首都大学東京・都市政策コース
1,000円

No.3
都市の活性化とまちづくり
—「制度設計から現場まで」—
首都大学東京・都市政策コース
1,000円

北海道自治研ブックレット

No.1
市民・自治体・政治
再論・人間型としての市民
松下圭一　1,200円

No.2
議会基本条例の展開
その後の栗山町議会を検証する
橋場利勝・中尾修・神原勝
1,200円

No.3
福島町の議会改革
議会基本条例
開かれた議会づくりの集大成
溝部幸基・石堂一志・中尾修・神原勝

TAJIMI CITY ブックレット

No.2
転型期の自治体計画づくり
松下圭一　1,000円

No.3
これからの行政活動と財政
西尾勝　1,000円

No.4
構造改革時代の手続的公正と
第2次分権改革
手続的公正の心理学から
鈴木庸夫　1,000円

No.5
自治基本条例はなぜ必要か
辻山幸宣　1,000円

No.6
自治のかたち法務のすがた
政策法務の構造と考え方
天野巡一　1,100円

No.7
自治体再構築における
行政組織と職員の将来像
今井照　1,100円

No.8
持続可能な地域社会のデザイン
植田和弘　1,000円

No.9
政策財務の考え方
加藤良重　1,000円

No.10
市場化テストをいかに導入するべきか　～市民と行政
竹下譲　1,000円

No.11
市場と向き合う自治体
小西砂千夫・稲沢克祐　1,000円

地方自治土曜講座ブックレット

No.2
自治体の政策研究
森啓　600円

No.22
地方分権推進委員会勧告と
これからの地方自治
西尾勝　500円

No.34
政策立案過程への「戦略計画」
少子高齢社会と自治体の福祉法務
加藤良重　400円

No.42
改革の主体は現場にあり
山田孝夫　900円

No.43
自治と分権の政治学
鳴海正泰　1,100円

No.44
公共政策と住民参加
宮本憲一　1,100円

No.45
農業を基軸としたまちづくり
小林康雄　800円

No.46
これからの北海道農業とまちづくり
篠田久雄　800円

No.47
自治の中に自治を求めて
佐藤守　1,000円

No.48
介護保険は何を変えるのか
池田省三　1,100円

No.49
介護保険と広域連合
大西幸雄　1,000円

No.50
自治体職員の政策水準
森啓　1,100円

No.51
分権型社会と条例づくり
篠原一　1,000円

No.52
自治体における政策評価の課題
佐藤克廣　1,000円

No.53
小さな町の議員と自治体
室崎正之　900円

No.54
改正地方自治法とアカウンタビリティ
鈴木庸夫　1,200円

No.56
財政運営と公会計制度
宮脇淳　1,100円

No.59
環境自治体とＩＳＯ
畠山武道　700円

No.60
転型期自治体の発想と手法
松下圭一　900円

No.61
分権の可能性
スコットランドと北海道
山口二郎　600円

No.62
機能重視型政策の分析過程と
財務情報
宮脇淳　800円

No.63
自治体の広域連携
佐藤克廣　900円

No.64
分権時代における地域経営
見野全　700円

No.65
町村合併は住民自治の区域の変更である。
森啓　800円

No.66
自治体学のすすめ
田村明　900円

No.67
市民・行政・議会のパートナーシップを目指して
松山哲男　700円

No.69
新地方自治法と自治体の自立
井川博　900円

No.70
分権型社会の地方財政
神野直彦　1,000円

No.71
自然と共生した町づくり
宮崎県・綾町
森山喜代香　700円

No.72
情報共有と自治体改革
ニセコ町からの報告
片山健也　1,000円

No.73
地域民主主義の活性化と自治体改革
山口二郎　600円

No.74
分権は市民への権限委譲
上原公子　1,000円

No.75
今、なぜ合併か
瀬戸亀男　800円

No.76
市町村合併をめぐる状況分析
小西砂千夫　800円

No.78
ポスト公共事業社会と自治体政策
五十嵐敬喜　800円

No.80
自治体人事政策の改革
森啓　800円

No.82
地域通貨と地域自治
西部忠　900円

No.83
北海道経済の戦略と戦術
宮脇淳　800円

No.84
地域おこしを考える視点
矢作弘　700円

No.87
北海道行政基本条例論
神原勝　1,100円

No.90
「協働」の思想と体制
森啓　800円

No.91
協働のまちづくり
三鷹市の様々な取組みから
秋元政三　700円

No.92
シビル・ミニマム再考
ベンチマークとマニフェスト
松下圭一　900円

No.93
市町村合併の財政論
高木健二　800円

No.95
市町村行政改革の方向性
～ガバナンスとNPMのあいだ
佐藤克廣　800円

No.96
創造都市と日本社会の再生
佐々木雅幸　800円

No.97
地方政治の活性化と地域政策
山口二郎　800円

No.98
多治見市の政策策定と政策実行
西寺雅也　800円

No.99
自治体の政策形成力
森啓　700円

No.100
自治体再構築の市民戦略
松下圭一　900円

No.101
維持可能な社会と自治
～『公害』から『地球環境』へ
宮本憲一　900円

No.102
道州制の論点と北海道
佐藤克廣　1,000円

No.103
自治体基本条例の理論と方法
神原勝　1,100円

No.104
働き方で地域を変える
～フィンランド福祉国家の取り組み
山田眞知子　800円

No.107
公共をめぐる攻防
～市民的公共性を考える
樽見弘紀　600円

No.108
三位一体改革と自治体財政
岡本全勝・山本邦彦・北良治・逢坂誠二・川村喜芳　1,000円

No.109
連合自治の可能性を求めて
サマーセミナーin奈井江
松岡市郎・堀則文・三本英司・佐藤克廣・砂川敏文・北良治　他
1,000円

No.110
「市町村合併」の次は「道州制」か
高橋彦芳・北良治・脇紀美夫・碓井直樹・森啓　1,000円

No.111
コミュニティビジネスと建設帰農
松本懿・佐藤吉彦・橋場利夫・山北博明・飯野政一・神原勝
1,000円

No.112
「小さな政府」論とはなにか
牧野富夫　700円
No.113
栗山町発・議会基本条例
橋場利勝・神原勝　1,200円
No.114
北海道の先進事例に学ぶ
宮谷内留雄・安斎保・見野全・
佐藤克廣・神原勝　1,000円
No.115
地方分権改革のみちすじ
―自由度の拡大と所掌事務の拡大―
西尾勝　1,200円
No.116
転換期における日本社会の可能性
―維持可能な内発的発展―
宮本憲一　1,000円